新世紀

第 315 号（2021年11月）

The Communist

JN113774

帝国主義打倒！

スターリン主義打倒！

万国の労働者団結せよ！

2021年11月　No.315　目次

新世紀

日本革命的共産主義者同盟 革命的マルクス主義派 機関誌

カーブル陥落——アメリカ軍国主義帝国の敗走

アフガニスタンのイスラム武装勢力タリバンが、アメリカ傀儡のガニ政権軍を駆逐しつつ、わずか九日間で全国の三十三州都と首都カーブルを制圧した（日本時間、二〇二一年八月十六日）。タリバンはただちに、イスラム法にもとづくタリバン主導政権の樹立に着手している。

二〇〇一年十月のアフガン空爆の開始いらい実に二十年、「対テロ戦争」という名のアメリカ軍国主義帝国のアフガニスタン侵略戦争とカルザイおよびガニの傀儡政権をおしたてての占領支配は、アメリカ帝国主義の敗北＝タリバンの勝利をもってここに終結の時を迎えた。

殺到した群衆を振り落とし蹴散らして敗走する米軍輸送機が強引に飛び立つさまは、一九七五年にベトナム戦争で敗北した米軍が南ベトナム政府軍を見捨ててサイゴン（現ホーチミン）から逃走したあの姿の再来でなくてなんであろう。また、ムスリムの怒りに脅えて米大使館員やＣＩＡの連中が書類を処分して逃げだしたさまは、一九七九年のイラン・イスラム革命とテヘラン米大使館占拠事件にさいしてのヤンキーどものうろたえぶりの再現にほかならない。

タリバン軍は米軍の完全撤退にむけて用意周到に

準備しながらカーブル制圧に突き進んだ。全三十四州の農村部での支配をうち固め、国境地帯の交易ルートをおさえた。もってガニ政府を〝兵糧攻め〟にし、みずからは税金を取りたてるなどの手段で資金を獲得したのだ。しかもタリバンは、地方の軍閥＝各部族の長を次つぎとみずからの陣営に獲得してきた。これを基礎にして、八月に入るやアフガン政府軍を駆逐しつつ州都を次つぎに制圧し、ついには首都カーブルの〝無血開城〟を勝ちとった。タリバンがカーブルを制圧するまでには三ヵ月はかかるだろうなどとタカをくくっていたアメリカ大統領バイデンの「予想」に反して、タリバンはわずか九日間で全土を制圧したのだ。

このタリバンの猛攻に周章狼狽したバイデンは、八月十六日の第一声で、「アフガン政府軍は戦わずして崩れ落ちた。われわれは必要な装備品を提供し、給料も払ってきた。彼ら自身が戦う意思のない戦争を米軍は戦うべきでない」などと、この無惨な敗北をすべてアフガン政府軍のせいにして開き直った。そのうえこの男は、「米軍撤退の判断を後悔していない。われわれの目的は国づくりではなかった」などと強弁した。米軍占領下でカルザイやガニを首班とした傀儡政権をおしたて、ヤンキー式の「民主主義国家」なるものをアフガニスタン民衆に押しつけてきた徒輩のなんたる鉄面皮！

このバイデン政権の惨状をあざ笑っているのが、中国ネオ・スターリン主義権力者とロシア権力者にほかならない。カーブル陥落を確認した中国・習近平政権は、公然と「米国の覇権凋落の弔鐘が鳴る」と勝ち誇ってみせた（八月十六日の「新華社国際時評」）。

まさにタリバンによる権力奪取こそは、――わが同盟がすでに明らかにしてきたように（本誌本号「日米グローバル同盟をうち砕け」を参照）――中・露両権力者の政治的・経済的支援にささえられて可能となったものにほかならない。アフガニスタンから早期に撤収し、中国の台湾武力侵攻に備えて東アジア地域に兵力を集中するというバイデン政権の目論み、これを打ち砕きバイデン政権が東アジア地域にのみ注力することができないようにするために、中国・ロシアの両権力者は相呼応しながら、西アジア＝アフガニスタンにおいてタリバンの猛進撃をバックアップしたのだ。

アメリカ権力者がおしたててきたアフガン傀儡政権のあっけない倒壊をまえにして、中国外相・王毅は言い放った。「外国のモデルを歴史文化も事情も違う国に無理矢理あてはめてもうまくいかない。アフガン情勢はそのことを改めて証明した」と。ロシア外相ラブロフも「米国の最大の失敗は、数百年にわたる地域の伝統を無視し、民主主義と呼ぶ自分たちの規範をアフガン人にも押しつけたことだ」と、中国と同様に、アメリカ的価値・諸制度の上からの押しつけこそアフガンの「失敗」の根源だと凱歌を挙げたのであった。

アメリカ帝国主義のこの惨めな敗走は、老いぼれ大統領バイデンの度しがたい無能を全世界にさらけだしただけでなく、アメリカ権力者がたくらんできた対中国での「同盟再興」の追求を根底から揺るがし、もって米・中（露）の冷戦的激突を一気に激烈化させるにちがいない。

「カーブル陥落」に象徴される米軍の完全敗北。これこそは、アメリカ帝国主義の二十年におよぶアフガニスタン・イラク・そしてシリアでの「対テロ戦争」なるものの全面的破綻を、それだけでなく、すでに露わになっていたソ連邦の自己崩壊以後の「一超」世界支配の崩落を、まさに全世界に告げ知らせるものにほかならない。

アメリカ帝国主義の金融的・軍事的中枢を射抜いた二〇〇一年の9・11ジハード自爆攻撃。このムスリムの挑戦に逆上したアメリカ権力者は、同年十月にアフガン空爆を開始していらい、「テロとの戦争」の名のもとに、大量破壊兵器のデイジーカッターやMOAB、バンカーバスターなどを雨あられのごとくに撃ちこみ、ムスリム人民にたいするジェノサイドを強行した。このアメリカ帝国主義のジェノサイドにたいするアフガン民衆の怒りと憎しみは、世代を超えて充満している。まさに空爆と占領支配によって蹂躙され荒廃させられたアフガニスタンの大地は、いまやアメリカ軍国主義帝国の墓場となったのである。

タリバン主導政権樹立をバックアップする中・露

傀儡政府軍と米軍を敗走に追いこんだタリバンは、ただちに新政権の発足に着手している。彼らは、「民主的な制度はまったく存在しなくなるだろう」と明言し〝イスラム法の厳格な適用にもとづく政治体制の形成〟という方針をうちだした。新政権の国際的承認をとりつけるために彼らは、元大統領のカルザイや元首相アブドラらとの協議をおこない、「開放的、包括的なイスラム政府をつくる。女性は通常の社会生活を送ることができる」とおしだしている(八月十九日、中国国際テレビのインタビュー)。

イスラム宗教国家として樹立されようとしているこのアフガニスタンを、アメリカ帝国主義の対中国(対ロシア)包囲網をくい破る対米対抗の陣形に組みこむことを策しているのが中・露の両権力者にほかならない。彼らはそれぞれに、七月時点でタリバン代表団を自国に迎え入れて、「米軍撤退以後」の政権構想や経済支援についての膝詰めの協議をおこなってきた。タリバン最高指導部の一員であるバラダル師を天津に招いた中国外相・王毅は、「アフガンの国情にかなった、幅広く包摂する政治的枠組み」を形成すること、およびウイグル族のイスラム原理主義勢力＝「東トルキスタン・イスラム運動」(ＥＴＩＭ)などの「テロ組織と完全に一線を画し、断固取り締まる」ことを求め、これらをタリバンが承認するならば中国はアフガニスタンの経済復興への支援(中国企業による銅山開発や農業復興)をおこなうと提起した。バラダル師は、この中国の要望のすべてを受け入れ、「中国がアフガニスタン再建と経済発展でより大きな役割を果たすことを期待する」と応じたのであった。

また、ロシア政府も、「タリバンはロシアや中央アジア諸国に不利益を与えない」という約束を、モスクワを訪問したタリバン代表団からとりつけた(七月八日)。こうして中・露の両権力者は、アフガン国内に残存するアルカイダなどのイスラム原理主義武装勢力による〝テロの輸出〟を防止するという一札をタリバンからとりつけ、それと引き替えに政治的・経済的支援を確約したのである。

イスラム原理主義武装勢力たるタリバンへの支援が、みずからにとって〝両刃の剣〟になりかねないという警戒心を募らせ、それぞれの国内におけるムスリム人民にたいする監視と抑圧を強化しているのが、中・露両権力者である。

中国権力者は、新疆ウイグル自治区におけるウイグル族人民を漢族に強制的に同化させる政策をとり、そのために一〇〇万人ものウイグル族人民を強制収容所に送りこんできた。まさにこのゆえに、ウイグルのムスリム人民のなかには北京官僚政府への怒りが渦巻いている。このムスリムの怒りに脅えている北京官僚は、「東トルキスタン・イスラム運動」などの原理主義勢力がタリバンの政権復帰を機に活性化することを恐れ、国内治安弾圧体制の強権的強化に狂奔している。プーチン政権もまた、旧ソ連構成共和国であった中央アジア諸国や、自国カフカース地方とりわけチェチェン共和国でのイスラム武装勢力の伸張を徹底的に抑えこむために、強権的な人民監視・弾圧体制を敷いているのだ。

しかもトランプによる「アフガニスタンからの撤退」の宣言を〝好機〟と見てとり策謀を練ってきた習近平とプーチンは、このかん「タリバンによるカーブル制圧」に備えて上海協力機構（SCO）の国防相会議を開催し、そこにおいて「テロリズムを共同で取り締まる」ことを確認するとともに（七月二十八日）、機構諸国を駆りたてて大々的な合同軍事演習を強行した。――中国内陸部の寧夏回族自治区などにおける中・露両軍一万人を動員しての一大軍事演習「西部・合同二〇二一」（八月九〜十三日）、タジキスタンのアフガニスタン国境付近でのロシア・タジキスタン・ウズベキスタンの三国合同軍事演習（八月五〜十日）、など。

こうして今、中国・ロシア両権力者は、アメリカ帝国主義との〝決戦〟に備えて、アフガニスタンのタリバンをも抱きこみ対米対抗の国際的包囲陣形を構築することに猪突猛進しているのだ。いままさに、アメリカ帝国主義が新型コロナの感染爆発に直面している隙にアメリカを凌駕する「社会主義現代化強国」にのしあがるという国家戦略＝世界戦略を、いわば前倒しして実現することをめざして猛突進しているのがネオ・スターリニスト習近平政権なのである。

二十一世紀の覇権をかけた米中の激突
——いまこそ反戦の闘いに起て！

タリバンによる首都カーブル制圧とアメリカ傀儡ガニ政権の打倒。この事態は、すでに威信低落にみまわれてきたアメリカ帝国主義バイデン政権を根幹から揺さぶっている。バイデンはアメリカ国内ではトランプら共和党のみならず民主党内からも囂々《ごうごう》たる非難を浴びせられ、国際的にもみずからが「同盟の再興」を掲げてその再結束に躍起となってきたNATO諸国など同盟国権力者から〝不信〟の声を突きつけられている。まさにカーブル陥落・ガニ政権崩壊は、一九九一年のスターリン主義ソ連邦の自己崩壊いご「一超」の座に驕り高ぶり、アフガニスタンやイラクにたいする残虐な侵略戦争をくりかえしてきた軍国主義帝国アメリカ、この洋鬼どもの全面的敗北を白日のもとにさらけだしたのだ。

二〇〇一年のムスリム戦士によるアメリカの世界支配の金融的・軍事的中枢を打ち砕いたジハード自爆攻撃と、これに震撼させられ逆上したブッシュ政権がその直後に強行したアフガニスタン空爆の開始にさいして、同志黒田はその歴史的意味を「ヤンキーダムの終焉の端初」と喝破した。

「かくて、アフガニスタン戦争の現下のありさまは、ベトナム戦争の泥沼に陥りし事態と酷似せるにいたりしか。アメリカ軍は、一九八〇年代のソ連軍の喫せる敗北の轍を踏むにいたらむ。これ悲喜劇にあらずして何ぞや。アメリカ帝国主義の没落、いまや必せり。」(黒田寛一「ヤンキーダムの終焉の端初」『革マル派 五十年の軌跡 第三巻』KK書房、三二二頁)

9・11事件とアフガン空爆から二十年後の今日、「世界の覇者」の座をアメリカから奪取せんとする中国習近平政権の挑戦に直面してアメリカ大統領バイデンは、野蛮と非人間性の別名でしかない「自由と民主主義」をいまなお掲げ、中国包囲網形成のために「同盟の再興」を叫んでNATO諸国やアジア諸国の抱きこみに狂奔している。だが、この落日帝国主義アメリカ・バイデン政権の野望は、アフガニスタンからの完全敗走によって打ち砕かれたのだ。

タリバンに――ロシア・プーチン政権とともに――テコ入れしてきた中国・習近平政権は、勝ち誇って叫んでいる。「みずからの利益に従い盟友を見捨てるのは、建国以来の米国の根深い悪い根性だ」(中国共産党直系の対外広報紙『環球時報』)と。まさに彼らは対外的にこうしたプロパガンダを展開しながら、ここぞとばかりにバイデンがたくらむ対中国包囲網構築を打ち砕き、台湾の蔡英文政権を政治的に揺さぶる追求に突き進んでいるのだ。

だが、このような対米非難を隠れ蓑にして、香港において「民主派」の根絶に突き進むとともに、新疆ウイグル自治区においてはムスリム人民への凄惨な弾圧をくりひろげ、これらを「中国の統治システムの優位性」などと傲然と正当化しているのが習近平指導部ではないか。彼らは、農民工をはじめ何億もの労働者・人民を貧窮のどん底に突き落としながら、対米対抗の核戦力強化に狂奔している。台湾海峡や東および南シナ海、西太平洋において、アメリカ同盟諸国軍に対抗して威嚇的な軍事行動を展開しているのだ。「世界の中華」なるナショナリズムを鼓吹し、内にむけては強権的な人民弾圧を強行しながら、外にむけては、「二十一世紀の覇者」の座をアメリカから奪取せんと対米核戦力の飛躍的強化を基礎として攻勢にうってでているのが、中国・習近平指導部なのだ。反プロレタリア性をきわめるネオ・スターリニストどもを弾劾せよ！

米中の冷戦的角逐が、アフガニスタン情勢の激変をも契機に一気に緊迫化しているにもかかわらず、日本階級闘争の既成指導部は目前に迫る総選挙に浮き足だち、高まる世界大的な戦争勃発の危機を突き破る反戦反安保の闘いを何ひとつ創造しようともしていない。

日共委員長・志位和夫はカーブル陥落をめぐってなんと、かの9・11事件直後にアメリカ・ブッシュ政権などにあてた「テロ根絶」に唱和した「国際書簡」なるものの自画自賛にうつつを抜かしている（八月十七日の記者会見）。9・11事件当時にわが党は、「国連を中心に、国際的な警察力、司法の力を総動員して容疑者を捕らえ、法の裁きにかけるべきと提唱した」のだ、と。しかも連日の『しんぶん赤旗』は、アフガニスタンをめぐる米―中・露の角逐にはいっさい触れることなく、カーブルを制圧したタリバンの「無法」ぶりを非難することにのみ精を出しているありさまだ。

いまアフガニスタンをめぐって、また台湾など東アジアを焦点として、米—中の「二十一世紀の覇者」の座をかけての軍事的・政治的・経済的の角逐が一気に激化し、全世界の労働者・人民が新たな戦乱の危機に直面させられている。——このことへの危機感など微塵もなく、反戦闘争への決起を呼びかけようともしない日共中央の転向スターリニストどもを断固として弾劾せよ！

すべての労働者・学生諸君！　いまこそ米中冷戦下の戦争勃発の危機を突き破る革命的反戦闘争を断固として創造しよう！　米日英による対中国の威嚇的軍事行動に反対するとともに、中国の対米対抗的な台湾周辺・南シナ海などでの軍事演習に反対するのでなければならない。英空母の九月横須賀寄港阻止！　日米軍事同盟の対中国グローバル同盟としての強化に反対しよう！　菅政権による憲法改悪を打ち砕け！

菅政権の反人民的な新型コロナ対策のもとで、感染の爆発的拡大と労働者・人民の貧窮化がますます深刻化している。人民の怒りにみまわれ横浜市長選にも大敗北した菅政権は、ヨレヨレになりながらもなおもパラリンピック開催を強行しようとしている。のみならず感染爆発の責任を飲食業や「若者層」に転嫁して、欧米式の都市ロックダウンにうってでることをたくらんでもいる。しかもこの機に乗じて、「緊急事態条項の新設」という憲法の大改悪に突き進もうとしているのだ。

菅政権による政治支配体制の強権的強化を許すな！　反人民性をむきだしにする菅ネオ・ファシスト政権を打ち倒そう。カーブル陥落を区切りとして米中間の戦争的危機はいやましに高まっている。いまこそ、労働者・学生は革命的反戦闘争に決起せよ。

（二〇二一年八月二十三日）

全人民の力で自民党政権を打ち倒せ！

人民の怒りに包まれ政権投げだしに追いこまれた首相・菅

九月三日の自民党臨時役員会において、自民党総裁・菅義偉は、総裁選（九月十七日告示、二十九日投開票）への不出馬を表明した。労働者・人民の怒りに包まれた菅は、ついに政権を投げだしたのだ。

まさに菅が政権の投げだしに追いこまれたのは、この政権が、新型コロナウイルスの感染爆発と医療崩壊を招き寄せてきたこと、そしてまた数多の労働者・人民を困窮地獄に突き落としてきたことにたいする怒りの爆発に包囲されたからにほかならない。かの横浜市長選挙に端的にしめされたように労働者・人民の菅政権にたいする怒りは全国で噴出したのだ。

こうしたただなかで、わが同盟は、菅政権によるコロナ対策・経済対策の反人民性とネオ・ファシズム性を徹底的に暴露し、労働者階級・人民にたいして「菅政権を打倒せよ」という呼びかけを断固として発してきた。全学連のたたかう学生は、つねに最先頭において〈反戦反安保・反ファシズム〉の旗幟を鮮明にしてたたかってきた。革命的・戦闘的労働者もまた、職場生産点において断固たる闘いを創造してきた。

まさに日本中に充満する労働者・人民のこの弾劾に包囲された菅はついにその命脈を断ち切られたのだ。

今こそ全人民の力で自民党政権を断固として打ち倒せ！

感染爆発下での独占資本救済と人民への貧窮強制

「コロナ対策と経済の両立」を実現する「国民のために働く内閣」を標榜してきた菅政権とは、われわれが暴露してきたとおりに、独占資本のみを救済する政権にほかならない。この政権が何よりも優先しておしすすめてきたのは、「ポストコロナにむけた経済構造改革」などと称する独占ブルジョアの救済策である。賃下げ・解雇を強行し、労働者の生き血を吸って肥え太っているこの独占資本家どもを支援するために、労働者・人民から搾り取った血税を「経済のデジタル化」などの諸施策へ湯水のごとく注ぎこんできたのが菅政権なのだ。

「経済優先」を掲げたこの政権は、感染対策を完全にネグレクトしたまま「ワクチン頼み」一辺倒の対策しかとらなかった。しかも、海外製薬メーカーとの口約束しか得られていないにもかかわらず「ワクチンを確保した」などと人民を欺瞞した菅らは、数多の青年層の人民をワクチン接種の予約さえとれないという状況に叩きこんだのだ。

こうしたことによって連日のように全国で夥《おびただ》しい数の陽性者・重症者がうみだされている。菅政権下ですでに一五〇万人以上が感染し一万六〇〇〇人を超える人民が死に追いやられた。医療崩壊のもとで、数多の人民が入院することもできずに「自宅療養」を強いられて、救急搬送もされずに命を落としている。夏休みが明けた小・中学校では子どもの感染が拡大し、また、子から親へ、親から子への家庭内感染が急増している（東京都では感染者のうち四人に一人が家庭内感染）。こうした状況下で、体調悪化に襲われた親が子どもを預ける場所を探しだすこともできないという悲痛な叫びをあげているのだ。

いまや生活補償なき緊急事態宣言の全国的な拡大によって、夥しい労働者が失業に追いこまれ住居も奪われ、生活困窮のどん底に突き落とされている。

にもかかわらず、菅政権は、困窮する労働者・人民にたいして「自助」をふりかざし、なんの支援もおこなうことなく徹底的に切り捨ててきた。「ＧｏＴｏキャンペーン」だの「デジタル化促進」だのという独占ブルジョア救済策のために莫大な血税を注ぎこみ、しかも、東京五輪の開催のためには総額一兆六〇〇〇億円もの巨費を投じながらである。まさに、独占資本の救済にのみ血道をあげた菅政権こそ、日本の人民を感染爆発と貧窮の奈落に突き落とした大犯罪人といわずしてなんというべきか！

しかも、菅政権は、東京五輪・パラリンピックの開催をあくまでも強行するために、「オリンピックを中止せよ」「第五波に備えよ」と警告した専門家や医療従事者の再三再四の提言をことごとく足蹴にしてきた。

医療専門家・学者にたいして、〝決めるのは政府だ〟と政府決定をゴリ押しするこのやり口は、日本学術会議から安保法制などの戦争諸法に反対した学者を排除したのと同様に、学術・研究機関を政府の御用機関として統制・支配せんとする菅ネオ・ファシズム政権の本性のあらわれにほかならない。すべての政策はＮＳＣ（国家安全保障会議）の頂点に立つ首相が専決し・それを強権をふるって実行するという、この日本型ネオ・ファシズムの反人民性のゆえに、夥しい数の人民が重症化し死に追いやられているのだ。

同時に菅政権は、「行政のデジタル化」の名のもとにデジタル庁を新設し人民総監視＝総管理体制の構築に突進してきた。新型コロナ感染拡大防止のための「情報管理」を口実として、強権的支配体制の強化のための策動に猛突進してきたのが菅日本型ネオ・ファシズム政権なのだ。この政権は、「ピンチをチャンスにする」などとほざきながら憲法に緊急事態条項を創設する憲法大改悪への道をひらこうとしてきた。これを突破口として、憲法第九条の破棄をもなしとげようと狂奔したのであった。

しかも、台湾を焦点として米中が激突するという〈米中冷戦〉の先鋭化のもとで、菅政権は、老いぼれのバイデン政権とともに、日米軍事同盟をグローバル同盟として強化する策動に血道をあげてきた。困窮する人民への生活支援は打ち切ったままにしながら、軍事演習や日本の軍事強国化のための武器購入費用には、莫大な血税を注ぎこんできたのが、この政権なのだ。

自民党政権の延命策動を許すな！

まさにこうして労働者・人民を戦争と貧困と圧政のもとに組み敷いてきたがゆえに、菅政権は、労働者・人民の怒りに包まれて、ついにみずから奈落に沈んだのだ。

だが見よ！　政府の無策と無対応とによって「災害級」と称されるほどの感染爆発がもたらされ、重症者・死者が急増しているにもかかわらず、そのまっただなかで、自民党の政治エリートどもは、菅の後釜の座をめぐって醜悪な政争に明け暮れているのだ。

今春から今夏にかけておこなわれた各地の選挙において与党・自民党候補が相次いで敗北したのみならず、横浜市長選で菅の〝側近中の側近〟といわれる小此木八郎が野党系候補に一八万票以上の大差をつけられて大惨敗した。このように「菅は退陣せよ」の大合唱が人民の中から湧き起こっているにもかかわらず、みずからの延命のために、内閣改造をおこなったうえで衆議院の解散を強行することを目論んだのが、当初の菅であった。これにたいして、「自民党幹事長の任期を一年三期までに限定せよ」という要求を掲げて菅・二階俊博との対決を鮮明にし、そうすることによって菅・二階に怨念を抱く安倍晋三・麻生太郎に媚びを売ったのが、早ばやと立候補を表明した岸田文雄であった。そして安倍・麻生は、まさにこの岸田の対応を利用して、菅にたいして「(岸田ではなく) 自分 (＝菅) を支持してほしければ、二階を切れ」と迫ったにちがいないのだ。それは、一年前に、岸田に首相の座を禅譲しみずから〝キングメーカー〟に成りあがるという目論見を二階・菅によって阻まれ追いこまれた安倍の〝報復戦〟にほかならない。

こうして、再び〝キングメーカー〟の座を狙う安倍および麻生によって完全に羽交い締めにされた菅は、一度は十月総選挙の一ヵ月前に党役員人事の「刷新」を断行するという前例のない挙に出ようとした。けれども菅は、ついにみずからの「不出馬」を表明せざるをえなくなった。それは、コロナ感染爆発をもたらし総裁選挙での惨敗によって首相の座から引きずり降ろされた「史上最低の首相」として汚名を残すよりは、みずから「退陣」し「コロナ対策に最後まで尽力した首相」として歴史に名を残したいなどという虫のいい魂胆・淡い願望にもとづくのだ。

いま安倍は、みずからの思想信条にもっとも近い極右にして元細田派の高市早苗 (毎年欠かさず靖国神社に参拝する「大東亜聖戦」論者にして政府に反抗するマスコミへの「停波」さえ主張するネオ・ファシスト) を担ぎだそうとしている。――「史上初の女性首相誕生」によって十月総選挙での自民党の大敗北を少しでもやわらげようという魂胆にもとづいて。そして、この安倍＝細田派による高市支持の明確化をまえに、自民党の政治エリートどもは「高市総裁阻止」を軸に一段と激しい駆け引きをくりひろげつつある。周章狼狽する岸田。派閥領袖・麻生から「今は時期尚早だ。今首相をやっても泥をかぶるだけで短命に終わる」と説得されている河野太郎。地方党員票を数えながら、二階派の支持をとりつけようと躍起となっている石破茂。そして高市の対抗馬(実は当て馬)として立候補を模索する野田聖子……。

すべての労働者・学生・人民諸君！　新型コロナ感染爆発と医療崩壊が一挙に進行し数多の労働者・人民が貧窮地獄に突き落とされているただなかにおいて、労働者・人民の怒りに包囲されたブルジョア階級の政治委員会たる自民党政府は、その内部において危機のりきりをかけた激烈な権力抗争をくりひろげている。われわれは、労働者・人民が塗炭の苦しみを味わわされているときに、権謀術数を弄して権力抗争に血道をあげ、その反人民性を赤裸々にしている自民党政府の延命策を断じて許してはならない。

われわれは、労働者階級・学生・人民の敵である自民党政権を断固として打ち倒すのでなければならない。「市民と野党が本気の共闘の力を発揮し、総選挙で政権交代を果たす」などと「菅退陣」に浮かれきっている日共中央の議会主義的闘争歪曲をのりこえ労働者・学生・人民の闘いの前進をかちとれ！

第九条の改悪と緊急事態条項の創設という憲法大改悪の攻撃を打ち砕く〈反改憲〉の闘いとともに、「台湾有事」に備えての敵基地先制攻撃体制の構築や対中臨戦態勢の構築・強化に反対する闘いに起ちあがろう！　辺野古新基地建設を阻止せよ！　日米軍事同盟の対中グローバル同盟としての強化に反対する反戦反安保闘争をおしすすめよう！　ＮＳＣ専制のもとでの日本型ネオ・ファシズム支配体制の強権的強化の攻撃を粉砕せよ！

今こそ、すべての労働者・学生・人民の力で自民党政権を打ち倒そうではないか！

（二〇二一年九月六日）

日米グローバル同盟をうち砕け
〈反安保〉を放棄する日共をのりこえ闘おう！

反人民性をむきだしにする断末魔の菅政権を打ち倒せ

新型コロナ・ウイルスの爆発的な感染拡大が、首都圏・関西圏から全国に拡がり、連日のように二万人を超える陽性者がうみだされている（東京では五〇〇〇人超）。重症者数は、全国で一五〇〇人を超えている。入院することができず自宅での療養を強いられているのは、東京だけでも過去最高の二万一〇〇〇人を超えた（いずれも二〇二一年八月十四日現在）。いま首都圏で惹起している医療崩壊は全国に急拡大している。菅政権が首都圏や関西圏に拡大した「緊急事態宣言」や「まん延防止等重点措置」のもとで休業・廃業に追いこまれた飲食業、さらには宿泊・交通などの諸企業において、数多の労働者が解雇されたりシフトの削減にさらされている。

だがしかし、「自助」をふりかざす首相・菅義偉は、生活苦においやられた労働者・人民にたいする生活支援を打ち切ったままにし、夥《おびただ》しい人民を困窮地獄に突き落としている。いまや失業者は二一〇万人、さらに二〇〇万人を超える「実質的失業者」がうみだされているではないか。

ちなみに、みずからの延命のために人民に塗炭の苦しみを強制しながら菅政権が強行した東京五輪。その大会理念として掲げた「多様性と調和」なるものは、大会主催者・開会式演出者などによる「女性蔑視」「障害者蔑視」「ホロコースト讃美」などの発言によって吹き飛んだ。この五輪には、すでに総額一兆六〇〇〇億円もの巨費が投じられている。この莫大な開催費用の穴埋めは、すべて労働者・人民から収奪した血税によってまかなおうとしている。ふざけるな！　人民を感染爆発と貧窮のどん底に突き落としながら強行した東京五輪のツケのすべてを労働者・人民にまわそうとしているのが首相・菅なのだ。そして、その裏側では、七八〇〇億円にものぼる巨額の放映権料は、すべて〝IOC（国際オリンピック委員会）貴族〟のもとに転がりこんでいるのだ。

感染爆発とそのもとでの医療崩壊を招きよせ、さらには労働者・人民を貧窮のどん底に突き落とした張本人は、菅政権にほかならない。

にもかかわらず、感染拡大の責任は、自治体や医療機関の労働者に、また生活のために営業せざるをえない飲食業者に、さらに若年労働者や学生などの「若者層」に転嫁するという人非人的な言辞を弄しているのが菅なのだ。

いまや、その反人民性をむきだしにする菅ネオ・ファシスト政権——その犯罪の第一は、菅政権が、「ワクチン確保」に完全に失敗したのみならず、「供給は十分」などと大ウソをついて接種加速を号令して大混乱を招いたこと。それにもかかわらず、「自治体が在庫をためている」などというデマを吹聴してきたことである。

第二は、菅政権が、酒類の提供禁止措置を守らない飲食店を〝悪者〟に仕立てあげ、取引業者や金融機関に取引停止や融資の打ち切りにむかわせるというネオ・ファシズム的強権性をむきだしにした措置をうちだしたことである（これは一夜にして撤回に追いこまれた）。

そして第三は、政府・厚生労働省が、第五波に備えるように専門家や医療従事者が提言してきたにもかかわらず、医療労働者への支援を何ひとつおこなわなかったばかりか、「ワクチン接種加速」と「五輪への派遣」などの無理難題を押しつけつづけたことである。

第三波・第四波のあとにも経営難に陥った医療機関への支援をおこなわず、「それは自治体の仕事だ」などと言い放ちながら、むしろ中小医療機関の淘汰のために意図的に放置してきたのが政府・厚労省であった。にもかかわらず、いまや自宅待機者が膨大にうみだされているのはコロナ患者を受け入れない医療機関のせいであるかのようなキャンペーンを張りはじめているのだ。それは、突如として「重症者しか入院はさせない」という入院治療の方針転換を発表した政府にたいする囂々《ごうごう》たる非難を必死にかわすための菅の姑息かつ卑劣なやり口にほかならない。

こうした感染爆発を招いた張本人であるにもかかわらず見え透いたウソをつき責任転嫁に狂奔してきた菅政権にたいする労働者・人民の怒りが噴出している。首相・菅は、もはや心神喪失状態をさらけだしダッチロールをくりかえす最末期の姿をさらけだしているのだ。

だが警戒せよ！　首相・菅は、全国的な感染爆発の状況をも無視してパラリンピックの開催を強行しようとしている。マキャベリスト菅は、このパラリンピックが終わったら、感染の爆発的拡大の責任は医療機関や飲食業、「若者層」に転嫁して、強権的な欧米式の「都市封鎖（ロックダウン）」にうってでることをたくらんでいるにちがいない。そして、緊急事態条項の創設という憲法大改悪への道をひらくことをもたくらんでいるにちがいないのだ。われわれは、菅政権が、感染の爆発的拡大というみずからのもたらした危機をも利用して、政治支配体制をネオ・ファシズム的に一段と強化する方向に強行突破することを断じて許してはならない。

われわれは、反人民性をむきだしにしている菅日本型ネオ・ファシズム政権を一刻も早くうち倒すのでなければならない。

パラリンピックの開催を許すな！　政府・独占資本による労働者・人民への犠牲強制をうち砕け！「〔コロナ・パンデミックという〕ピンチはチャンスだ」などとほざき憲法に緊急事態条項を創設することを断じて許すな！　緊急事態条項の創設と憲法第九条の破棄を内容とする改憲案の提示を粉砕せよ！　〈反安保〉も〈反ファシズム〉も放棄する日共をのりこえたたかおう！

すべての労働者・学生・人民は、貧窮を強制しつづける菅政権を階級的な団結の力で打倒せよ！　ただちに、労働者・学生は全国の職場・学園・地域から総決起しようではないか！

台湾・南シナ海での米日英連合と中国とによる威嚇的な軍事行動の応酬

日本全国で今、感染爆発による医療崩壊が惹起し、多くの労働者・人民が貧窮のどん底に突き落とされているまっただなかで、菅政権が莫大な血税を注ぎこみながら日本国軍部隊を送りこんでいるのが、フィリピン海を舞台としたアメリカ、イギリス、オーストラリア、ニュージーランド、韓国、フランスなど六ヵ国との多国間軍事演習にほかならない。

南シナ海に近接するフィリピン海域で八月初旬から実施されているこの軍事演習には、米海軍の空母とともに英海軍の空母クイーン・エリザベスが主力艦として投入され、両空母の艦載機である最新鋭のF35Bステルス戦闘爆撃機や航空自衛隊所属のF15戦闘機などによる戦闘訓練が実施されている（すでに七月中旬に米・豪・英・日などの七ヵ国は、オーストラリア国内と周辺海域で敵前上陸演習や奇襲作戦などを訓練内容とする合同軍事演習「タリスマン・セイバー」を実施。この演習には仏・独などがオブザーバー参加）。また台湾をめぐっても、七月十五日には米空軍が台湾の基地に物資投下訓練を強行したのであった。

まさにこうした七〜八月にかけて米・日・英・豪

などが強行した空前の規模の軍事演習こそは、「演習」という名を冠した中国にたいする威嚇的な軍事行動いがいのなにものでもないのだ。

台湾周辺や南シナ海において連続的に軍事演習をおこなっている米・日・英・豪の諸国に対抗するかたちで、習近平の中国もまた軍事演習を連日にわたって強行している。

台湾海峡では、台湾に面する福建省の沖合で、陸海両軍が実弾射撃をおこないながら敵前での上陸をおこなう訓練を実施した(七月十六日)。この訓練に動員された部隊は、中国軍による台湾攻撃の際には主力を担うとされる陸軍機動部隊であった。

そして南シナ海においても海南島の南東から西沙(パラセル)諸島のあいだの海域で大規模な軍事演習を強行したのであった(八月六〜十日)。

こうして今、台湾や南シナ海の周辺において、アメリカ帝国主義率いる日・英・豪などの諸国連合とネオ・スターリン主義中国とが接近するかたちで相互に威嚇する軍事行動をくりひろげている。パンデミックのもとで感染爆発に見舞われたアメリカの歴史的衰退ぶりを眼前にした中国の習近平政権は、「台湾の完全統一」という国家目標をより早期に実現するという国家意志をうちかためて台湾を自国のもとに併呑することをめざした軍事的攻勢を一挙に強めるとともに、来たるべきアメリカとの決戦を構えて軍事態勢を飛躍的に強化している。この中国による台湾の「武力統一」は迫りつつあると見ているアメリカのバイデン政権もまた、日本、イギリス、オーストラリアを動員しつつ大規模な軍事演習を連続的に実施しているのだ。

このように、アメリカ権力者もまた中国権力者も、それぞれの世界制覇戦略の実現をめざして、いわゆる台湾問題をめぐる軍事戦略を練りあげ、これにのっとって対抗的な軍事行動をとっているのである。

「軍事戦略とは、本質上、ひきおこされるであろう戦争状態を、あるいは未在の戦争状態を、行為的現在において予め想定し、想定されうる戦争状態にたいして軍事的・政治的・経済的にいかに対処するか、この事態に反応しうる指揮系統・空海陸軍の戦闘配置をいかにとり、およびこのための手段・手続き・過程などをいかに円滑にすすめてゆくか、ということにかんする一般的な軍事作戦方針であるといってよい。」(黒田寛一『政治判断と認識』KK書房刊、三九頁)

まさにいま対峙しているアメリカと中国の権力者は、たがいに台湾をめぐる米・中の軍事的な激突という「未在の戦争状態」を予め想定しつつ、この「想定されうる戦争状態」で敵を軍事的に叩きのめすという「軍事作戦方針」をうちだしている。そして、これにのっとって米・中の権力者どもは、台湾や南シナ海の周辺で「軍事演習」というかたちをとりながら軍事行動を相互対抗的にくりひろげているのだ。まさにそれゆえに台湾、南シナ海を発火点とする米・中の戦争勃発の危機はかつてないほどに高まっているのである。

〝ネオ三国同盟〟の形成に狂奔する米日英の帝国主義

こうした東アジアでの戦争勃発の危機が切迫する情勢のもとで、イギリス海軍の最新鋭の空母であるクイーン・エリザベスが、九月上旬にも神奈川県の米軍横須賀基地に入港する。すでに、空母打撃部隊の一翼を担っているフリゲート艦「リッチモンド」は長崎県の佐世保港に入港した(八月七日)。これらの空母部隊は、八月二十七日までの予定で、アメリカ、日本、オーストラリアの海軍との東シナ海での合同演習を実施することになっている。

まさにこの英空母打撃部隊の横須賀をはじめとする日本各地の米海軍基地などへの寄港こそは、アメリカ、日本、イギリスの帝国主義による〝ネオ三国同盟〟の形成を世界に告知するものにほかならない。

アメリカ帝国主義のバイデン政権は、中国とのための「二十一世紀を決定づける戦略的競争」にうちかつために、「同盟の再興」を掲げながら同盟諸国を動員して対中国の包囲網を形成することに躍起となっている。「新時代のグローバル・パートナーシップ」(四月発表の日米共同声明)の名において、アメリカは日本にたいして、イギリスやオーストラリアとも対中国の軍事的協力関係を一挙的に強化することをうながしてきた。

このアメリカの「属国」たる日本の菅政権（および安倍前政権）は、日米安保条約のような国際法的な根拠が存在しないにもかかわらず、外務・国防の大臣同士による「2プラス2」会合などでの合意にもとづいてイギリスやオーストラリアとの事実上の軍事同盟関係をつくりあげてきたのだ（日米軍事同盟と米英同盟・米豪同盟との連結）。まさにそれは、安保条約を改定することなく、政府権力者の一片の合意をもって日米の軍事同盟に新たなグローバルな役割を果たさせるという伝統的なななしくずしの手法にほかならない。

他方、イギリスのジョンソン政権は、EUからのブレグジットによって深刻化する経済的危機と「連合王国」じたいの分解的な危機をのりきるために、「グローバル・ブリテン」の旗を掲げて、英連邦に所属する諸国家（オーストラリア、ニュージーランド）、旧植民地であったインド、シンガポールなどが存在するインド太平洋地域に回帰することをたくらんでいる。政治的には、香港返還決定時にサッチャーと鄧小平とが合意した「一国二制度」をいとも簡単に葬りさった習近平政権に誇りを傷つけられたことへの怒りをバネとして、欧州における反中国の急先鋒となることによってイギリス国家の政治的威信をとり戻すこと、そして経済的にはTPP（環太平洋経済連携協定）への参加を実現することなどをめざしている。そして、こうした政治的・経済的の国家目標を実現するために、――インド太平洋地域に対中国包囲網を築こうとしているバイデンのアメリカとの同盟関係を強化するとともに――日本との軍事的協力関係の強化に踏みきったのだといえる。

だがしかし、バイデンのアメリカが主導しておしすすめてきた米日英の〝ネオ三国同盟〟の構築は、「アメリカの復活」を象徴するものではもちろんない。それはむしろ、「アメリカ一国では中国に立ち向かえない」などと公言してやまないバイデンのアメリカが、みずからの「属国」たる日本や欧州のはぐれものたるイギリスに頼らざるをえないほどの没落ぶりを如実に示しているのだからである。

見よ！　アフガニスタンからのアメリカ帝国主義

の惨めな敗走を。八月末を期限とする米軍の完全撤退を前に、反政府イスラム武装勢力タリバンが〝破竹の勢い〟で支配地域を全国に拡大し、第二の都市カンダハルをも陥落させた（タリバンは、地方の州都を支配する軍閥などとのあいだで「権力移譲」について用意周到に根回ししていたという）。

これを眼前にしてバイデン政権は、つい昨日まで「撤退は正しい」といっていたにもかかわらず、五〇〇〇人の米軍増派を決定した。また、アメリカ大使館職員にたいして、タリバンに「戦利品」を与えないように大使館撤去の前に機密文書の破棄や星条旗の廃棄などをすますことを緊急に指示した。

いまや首都カーブルに迫まり来るタリバンの猛攻に、ベトナム戦争の最末期やテヘラン大使館占拠事件などの「悪夢」を重ね合わせているのが、老いぼれバイデンなのである。

中国との全面的な激突に備えて、米軍兵力を東アジアに集中することを目論んでアフガニスタンから米軍を完全に撤退させようとしたのがバイデン政権であった。だがしかし、そのタイミングで全土制圧にむけてタリバンが猛進撃を開始したこと、そしてその背後に中国とロシアの影を見たことのゆえに、いまやバイデンは顔面蒼白となっているのだ。

こうして中東アラブ世界からのバイデンのアメリカの敗走は、軍国主義帝国の不様な歴史的凋落を全世界に知らしめ嘲笑をかうことになったのだ（アメリカの盟友イギリスも自国の大使館員の救出にとりくむことを決定）。

ロシアとの反米同盟にもとづいて対米挑戦を強める中国

中国の習近平政権は、タリバンが全土掌握にむけて総進撃を開始する直前の七月二十八日に、外相・王毅とタリバンのナンバー2であるバラダル師との会談を実現し、次のような内容での合意をかわしていた。すなわち、王毅は、タリバンが主導する新生アフガニスタンにたいして中国からの経済支援や投資を約束した。これにバラダル師は「中国がアフガニスタン再建と経済発展でより大きな役割を果たすことを期待する」と応えたのであった。

こうして中国の習近平政権は、おなじくタリバンとの政治的協力関係を築いているロシアのプーチン政権とも連携しながら、「米軍なきアフガニスタン」におけるタリバン主導の政権づくりに積極的な役割を果たしてゆくための追求に現に踏みだしたのだ。

いままさにアフガニスタンにおいて、アメリカ傀儡のガニ政権をうち倒し・新政権を発足させることをめざして進撃するタリバン。これを背後でバックアップしているのは、中国の習近平政権とロシアのプーチン政権であるにちがいないのだ。

この中国の習近平政権は、ロシアのプーチン政権とともに、中国内陸の寧夏回族自治区などにおいて、中露両軍一万人を動員した一大軍事演習(「西部・合同2021」)を実施した(八月九～十三日)。

習近平政権は、プーチン政権との「テロ合同掃討作戦」などと銘打ったこの軍事演習の実施をつうじて、中・露の反米同盟の強固さを誇示した。それとともにウイグル独立派組織「東トルキスタン・イスラム運動(ETIM)」などがアフガニスタンとの国境(七〇キロメートル以上接している)から中国国内に侵入することを阻止する軍事的態勢をとっていることをも示したのであった。

そうすることによって習近平政権は、「タリバン勝利」にイスラム過激勢力が勢いづくことを怖れている中央アジア諸国を反米国家連合へと抱きこむことをも策しているのだ。米軍のアフガニスタンからの撤退というこの機をとらえて「一帯一路」経済圏にとって戦略的要衝となっている中央アジア諸国などの中国の後背地に位置する諸国との政治的な関係のいっそうの強化をはかっているのが、習近平政権なのである。

こうしてバイデン政権が東アジア地域にだけ集中することができないように仕向けるためにもアフガニスタンにたいする政治的術策を弄してきた習近平政権は、台湾の「完全な統一」を呼号しつつ、バイデン政権を後ろ盾にして「独立」志向を鮮明にしている蔡英文の台湾にたいする政治的・軍事的な攻勢を一挙的に強めている。中国権力者は、第一列島線を突破することをめざして軍事的な攻勢を強めているのだ。それは、米本土を狙うSLBM（潜水艦発射弾道ミサイル）を搭載した原子力潜水艦を西太平洋の深海にまで送りこむことにとって最適な台湾の軍港を確保するという企図にもとづいてもいるのである。

習近平政権は、建国一〇〇年に「社会主義現代化強国」を建設するという国家戦略をなんとしても実現するために、「中国の核心的利益」とみなした台湾の併呑を――米日両帝国主義の介入をうち砕きつつ――実現するために軍事態勢の構築に狂奔しているのだ。

この中国が台湾に軍事侵攻するときは「六年以内」と焦りを募らせているがゆえに、アメリカのバイデン政権は、日本、イギリスなどの同盟国と「台湾の平和と安定」を共通目標として掲げながら、台湾への中国の侵攻を阻止する軍事態勢の構築に躍起となっているのだ。

まさに今、パンデミックのもとで〈米中冷戦〉が尖鋭化している。世界最悪の感染爆発に見舞われ歴史的凋落をあらわにした軍国主義帝国アメリカと、このアメリカを眼前にして「世界の覇者」の座をアメリカから奪い取る策動に一挙にうってでたネオ・スターリン主義中国とが世界的に激突している。その焦点が東アジアにほかならない。まさにいま台湾・南シナ海において米・中の戦争勃発の危機がいや増しに高まっているのだ。

米―中・露のプレ戦争状態への突入

こうして台湾・南シナ海などの東アジアにおいて、そしてまたアフガニスタンなどの中央アジアおよび中東などの世界各地で、米・日と中・露とが激突している。とりわけ核戦力を保有し・その強化をはかっている米と中・露は、宇宙空間での軍拡競争にしのぎを削るとともに、AI（人工知能）を搭載した新たな兵器の開発を血眼となっておしすすめている（内戦下にあるシリアやリビアは、AI兵器の実験場となっている）。アゼルバイジャンとアルメニアとのナゴルノカラバフ紛争においてトルコ製のAI搭載ドローンの威力を見せつけられた米と中・露の権力者は、みずからのＡＩ兵器開発のピッチをあげている。これらの諸国権力者は、二〇三〇年までにＡＩロボット部隊を創設することをめざして激烈な競争をくりひろげているのだ。まさに今、米と中・露との核戦力強化競争は、新たな次元で熾烈化しているのだ。

そしてまた米と中・露は、全面的衝突の時にそなえて「平時」から相手国の国力をそぐことを目論んで、サイバー空間を使って相手国の重要インフラ施設や政府・軍中枢に狙いを定めたサイバー攻撃を相互対抗的にしかけている。これらの諸国家権力者は、敵対国家の政権基盤を弱体化させることを狙って、人民にたいしてフェイク・ニュースをたれ流しながら政府にたいする不満を煽りたててゆくようなサイバー戦をも日常的にくりひろげている。いわゆる「ハイブリッド戦争」が恒常化しているのだ。まさにこうした戦争遂行のための技術的基礎の急速な発展にもとづいて、ＡＩ兵器やサイバー技術を駆使した新たな形態での戦争の幕が開けたのである。

まさにそれゆえに米と中・露とは、すでにプレ戦争状態に突入しているといっても過言ではないのである。核戦力を強化している米と中・露の全面的な激突は、熱核戦争の勃発の危機を日々高めているのだといわなくてはならない。

全国から反戦反安保・改憲阻止の闘いに起て

すでに見たようにパンデミックによって一気に熾烈化した〈米中冷戦〉のもとで高まる戦争勃発の危機を突破すること、これが二〇二〇年代の反戦闘争の普遍的課題なのだ。

それゆえに現時点のわが反戦闘争の第一の任務は、台湾・南シナ海の周辺海域で米日英豪と中国とが強行している「軍事演習」という名のいっさいの対抗的な軍事行動に断固として反対することである。

アメリカが主導しての米・日・英・豪による対中国の威嚇的な軍事行動に反対せよ！　中国による対米対抗的な台湾・南シナ海での一大軍事演習を断じ

て許すな！

　米―中・露によるＡＩ兵器の開発・配備を許すな！　インフラ施設・政府諸機関を狙ったサイバー攻撃の応酬に反対せよ！　ＳＮＳ（ソーシャルネットワーキングサービス）をも利用した現代の諜報戦を許すな！　米―中・露の核戦力強化競争に反対する反戦闘争を全世界からまきおこせ！

　第二の任務は、日米軍事同盟の対中国グローバル同盟としての強化に反対することである。

　米日英による合同軍事演習を許すな！　英空母クイーン・エリザベスの横須賀寄港を阻止せよ！　アメリカによる中距離ミサイルの日本配備反対！

　敵基地先制攻撃態勢の構築反対！　一四万人を投入する空前の規模での陸自大演習を阻止せよ！　Ｆ35Ｂの配備・「いずも」「かが」の空母化反対！　日本の軍事強国化を阻止せよ！　軍事費のＧＤＰ一％枠の突破＝大軍拡に反対せよ！　日本国軍の南シナ海・インド洋・中東への派兵を許すな！

　現地闘争を不屈にたたかう沖縄の労働者・学生と連帯して、辺野古への米軍新基地建設を阻止する闘いに起て！　在沖米軍基地の対中国最前線拠点としての飛躍的強化を許すな！

　いまこそ、われわれは日米軍事同盟を現実的に強化するためのいっさいの攻撃に反対する闘争を全国から燃えあがらせようではないか！

　日共の不破＝志位指導部は、いままさに日米の帝国主義権力者がイギリス帝国主義権力者とともに対中国の軍事的威嚇行動を東アジアの海域で連続的に強行しているこのときに、しかも「安保法制」にもとづいて米日英の軍事協力関係が一段と強化されているこの決定的なときに、反対闘争の組織化をかなぐり捨てて総選挙にむけた票田開拓にいっさいを解消している。

　彼ら代々木官僚は、立憲民主党から「閣内協力はありえない」などと突きつけられているにもかかわらず、彼らを政党間協議に誘いこむために自党の代案の超右翼的緻密化に狂奔している。彼らは、日米軍事同盟に「反対」することを完全に放棄しているばかりか、「野党連合政権」が発足した暁には、「日本有事」には日米安保条約第五条にもとづく「日米共同作戦」を是認するという犯罪的な主張をくりかえしているのだ。こうした「反安保」を放棄する日共中央を弾劾し、反戦闘争の戦闘的な高揚をきりひらくのでなければならない。

われわれは、いっさいの攻撃に反対する諸闘争を「日米グローバル同盟反対」の旗のもとに反戦反安保闘争として創造しようではないか！　〈基地撤去・安保破棄〉めざしてたたかおう！

そして、われわれは憲法大改悪を絶対に阻止するのでなければならない。このことが第三の任務である。

すでに菅政権は、「安保法制」という名の戦争法を適用してアメリカと、さらにはイギリスやオーストラリアなどと中国にたいする威嚇的な軍事行動をくりひろげている。そして中国による台湾侵攻の際には、アメリカをはじめとする諸国とともに中国軍を撃破できるような軍事態勢の構築に狂奔している。

こうした反憲法的な策動を現におしすすめながら、交戦権を明記した最高法規をもつ一流の帝国主義国家へと飛躍するために、「戦争放棄」と「戦力不保持」を謳った日本国憲法の第九条を葬りさろうとしているのだ。あまつさえ「ピンチはチャンス」などとほざきながら、コロナ・パンデミックを最大限に利用して緊急事態条項の創設にも道をひらこうとしているのが極反動の菅政権である。

われわれは、国会での憲法条文案の提示を絶対に阻止しようではないか！　〈反安保〉〈反ファシズム〉の旗高く改憲阻止闘争の大爆発をかちとろう！

すべての労働者・学生諸君！　いまこそ、あらゆる職場・学園・地域から「反菅政権」の巨大な闘いをまきおこせ！

労働者・人民に貧窮を強制し戦争への道を突き進む菅日本型ネオ・ファシズム政権を労働者・学生の階級的力で打倒せよ！

（二〇二一年八月十五日）

〔付記〕八月十六日早朝（日本時間）、タリバンは、アフガニスタンの首都カーブルを陥落させた。大統領であったガニは国外に脱出した。タリバンは「アフガニスタン・イスラム首長国」の樹立を宣言した。

第五十九回国際反戦中央集会　基調報告

〈米中冷戦〉下の戦争勃発の危機を突き破れ！

菅日本型ネオ・ファシズム政権を打倒せよ

戸塚洋士

国際反戦集会に結集したすべてのみなさん！　われわれはパンデミックのもとで労学両戦線の闘いを断固として創造してきた。すべてのみなさん、本国際反戦集会の成功をともにかちとっていこうではありませんか！

いままさに首都・東京をはじめ全国において、感染爆発と医療崩壊の危機のまっただなかにある。そして、飲食業や宿泊・交通などの企業で数多の労働者が首切りやシフトの削減にさらされている。その一切の責任は、困窮する労働者・人民を切り捨て、己の延命のためにのみ五輪開催を強行しつづけている菅政権にあるのだ！　感染爆発を招いた張本人＝

菅政権によるオリンピック強行を怒りをこめて弾劾せよ！

人非人のネオ・ファシストどもは、口を開けば、「若者や飲食店が要請に従わない」などと、人民への責任転嫁にあけくれている。そして医療現場・専門家の警告は完全に無視し、「いたずらに不安を煽るな」などとあくまでも五輪を強行し続けるための居直り的言辞をくりかえしている。感染爆発・医療逼迫の責任は、若者や事業者さらに医療現場・保健所の労働者へ、ワクチン接種の大混乱のそれは自治体へと、すべて責任転嫁しているのだ。他方みずからは資本家どもとの会食にあけくれてきたのが破廉恥きわまる菅ネオ・ファシズム政権なのだ。もはやこの連中の言うことなど誰ひとりとして信用せず、労働者・人民のなかに怒りと反発が渦巻いているのだ。断末魔の菅政権を包囲する巨大な闘いのうねりを巻きおこせ！

菅政権は、困窮する人民や事業者への支援を一切おこなうことなく、緊急事態宣言を拡大した。この政権は、みずからの犯罪は棚にあげて、ヨーロッパ

目次

のロックダウンのような強権的な措置をとることさえ検討しはじめている。

労働者・人民に一切の犠牲を強制する菅政権と独占資本家どもを弾劾せよ！　東京オリンピックを即刻中止せよ！　日米安保強化と憲法改悪の策動を打ち砕け！　いまこそわれわれは、総選挙に向けた票田開拓に闘いを解消する日共中央を弾劾し、「反菅政権」の闘いを巻きおこそうではないか！　菅日本型ネオ・ファシズム政権を労学の実力で打倒せよ！　そのための総決起の場として本集会をかちとってゆこうではないか！

中国・武漢に端を発する新型コロナ・パンデミックの発生から一年半がたとうとしているいま、現代世界は世界史的激動のまっただなかにある。

パンデミックに見舞われた権力者と資本家どもは、「ヒト・モノ・カネ・サービスの自由な移動」を遮断し生産を停止した。世界各地でデルタ株などの変異ウイルスが登場し、都市封鎖や国境封鎖が続いている。パンデミック下で莫大な富をためこんできた資本家どもは、みずからの生き残りのために労働者階級を容赦なく路頭に放りだしている。パンデミックのもとでむきだしとなっているのは、すさまじい階級間のいわゆる所得格差であり、その基底にある階級対立にほかならない。

そしてパンデミックのもとで、現代世界の構造の激変が引き起こされている。われわれが予見し喝破してきたとおりに、＜米中冷戦＞がいっそう熾烈化しているのだ。「二十一世紀の覇者」の座をかけたネオ・スターリン主義中国と没落軍国主義帝国アメリカとの激突のもとで、米中両軍が対峙する台湾海峡や南シナ海で、イスラエルが暴虐をふるう中東で、世界的戦乱勃発の危機が高まっている。われわれは、＜米中冷戦＞下の戦争勃発の危機を突き破る革命的反戦闘争を断固として巻きおこそうではないか！　全世界人民にたいして、政府の戦争政策に反対する反戦の闘いへ、そして耐え難い貧窮と圧政を強制する政府権力者どもをたたきのめす闘いへ、ともに腕を組んで総決起することを呼びかけつつ、本集会をかちとろうではないか！

Ⅰ　〈米中冷戦〉下で高まる戦争勃発の危機

新型コロナ・パンデミックをつうじてむきだしとなったのは、感染爆発によって炎上した軍国主義帝国アメリカの歴史的没落と、これを眼前にして「世界の覇者」の座を手にするための策動に一挙にうってでたネオ・スターリン主義中国との全面的激突にほかならない。

A　対中包囲網形成に躍起となるアメリカと反米同盟を強化する中露の角逐

アメリカ帝国主義・バイデン政権はいま、日本との軍事同盟と、イギリス・オーストラリアとのアングロサクソン同盟とを連結させて対中国の軍事的包囲網を築こうとしている。その象徴が、イギリス軍の空母クイーン・エリザベス艦隊の二〇二一年九月の日本への寄港と、米英日の合同軍事演習という名の対中国軍事行動の展開にほかならない。

これはきわめて重大な事態である。イギリスのジョンソン政権は、中東でムスリム人民を血の海に沈めてきた英米両軍のF35B戦闘機を満載した空母クイーン・エリザベスを米軍横須賀基地に寄港させようとしている。それだけではない。この空母艦隊を構成する艦船を海上自衛隊の横須賀・舞鶴・呉、在日米軍の佐世保・ホワイトビーチの各基地に寄港させるというのだ。横須賀には、米海軍と空母に改修される海上自衛隊の「いずも」などが集結し、軍事演習を強行することになる。まさにこうした戦後史上初めての事態は、米英日の対中国侵略戦争同盟を誇示する儀式といわずして何であろうか！

七月二十日に開催された日英防衛相会談において、日本・イギリス両政府は、日英防衛協力の「新たな段階」を宣言した。この場で、イギリス国防相ウォレスは、哨戒艦二隻を年内にシンガポールに配備すること、来年にも沿岸即応部隊をアジア地域に配備することをうちだした。

「もはや一国で中国を抑えこむことはできない」と泣き言をたれるバイデンのアメリカ・この没落帝国アメリカを〝盟主〟とした米英日の権力者どもは、「台湾海峡の平和と安定」「東シナ海・南シナ海での力による一方的な現状変更反対」を掲げ、習近平中国の対米攻勢を抑えこむための軍事包囲網を築くことに血眼となっているのだ。

これにたいして中国・習近平政権は、ロシアのプーチン政権とともに、善隣友好条約(二〇〇一年締結)の延長を決定した(六月二十八日)。「内政干渉反対」を旗印とした反米同盟の強化を誇示したのが中露両権力者なのだ。さらに中露両権力者は、上海協力機構(SCO)外相会議においてみずからが主導するかたちで、米軍撤退後のアフガニスタンの「安定化」のための協力を宣言した。没落軍国主義帝国アメリカの中央アジア・中東からの遁走を絶好の好機と見てとり、SCOを反米の国家連合としていっそううち固めているのが中露両権力者なのだ。

アメリカ帝国主義の没落と中国の挑戦とを浮き彫りにしたのが、六月にイギリス・コーンウォールで開催されたG7サミットであった。

このサミットの場において、米大統領バイデンは、イギリス首相ジョンソンとともに、仏独両権力者を対中国包囲網に引きこむために、協力の言辞をとりつけようと躍起となった。サミットに向けて米英権力者が発した「新大西洋憲章」なるものは、「ナチスからの解放」の恩義を忘れないでくれ、「専制主義＝中国にたいする戦い」に力を貸してくれという バイデンの哀願にほかならない。

だがこのサミット直前に中国権力者から「反外国制裁法」の制定という脅しを突きつけられたフランス大統領マクロンは、「アメリカと提携しないし、中国のしもべにもならない」とのべ、同じく独首相メルケルは、「中国敵視ではない」とのべた。パンデミック下でEU最大の貿易相手国となった中国との経済的協力関係を維持しようとするドイツ権力者やフランス権力者とアメリカとの足並みの乱れが露わとなったのだ。

バイデンの提灯持ちとして「台湾海峡の平和と安

「米―中・露の核戦力強化競争反対！」の熱気漲る（21年8月1日、東京）

定」を首脳宣言に明記するよう立ちまわったのは、日本の首相・菅義偉のみであった。

こうした不協和音を奏でるバイデンを中心としたサミットをまえにして、習近平は、それを「最後の晩餐」と揶揄し「統一戦線は必ず崩せる」と豪語したほどであった。このサミットの〝影の主役〟は中国だったといっても過言ではないのだ。

対米挑戦を強化する習近平中国とプーチン・ロシア

この習近平政権はいま、台湾の「完全な統一」を呼号しての攻勢を強めている。南シナ海を事実上領海化したことにふまえて、中国海空軍部隊を、第一列島線を突破し、さらに小笠原諸島からグアムを結ぶ第二列島線までの海空域に進出させようとしているのが習近平政権なのだ。それは、西太平洋の制海権をアメリカから奪いとることを狙った策動にほかならない。

習近平政権が台湾統一に躍起となっているのは、米本土を狙うＳＬＢＭ（潜水艦発射弾道ミサイル）を搭載した原子力潜水艦をアメリカの探知の網をかいくぐって直接、西太平洋の水深の深い海に送りこむことのできる軍港の確保をめざしているからである。

これにたいしてバイデンのアメリカは、「一つの中国」原則を実質的に破棄したトランプ前政権による台湾政策を引き継いで、台湾・蔡英文政権への政治的・軍事的テコ入れを強めている。そして日英などの同盟諸国と「台湾海峡の平和と安定」を謳いあげ、台湾への中国軍の侵攻を阻止する軍事態勢の構築に必死となっている。それは「台湾統一」のためには「武力統一も辞さない」と豪語した習近平政権にたいする、バイデン政権の焦りにみちた巻き返しにほかならない。

まさに台湾問題が米中激突の焦点となっているのだ。

こうしていまや、台湾海峡や南シナ海・東シナ海において、中国軍と米日両軍とが相互対抗的に演習という名の軍事行動を強行する一触即発の状況となっているのである。

習近平政権は、現下のコロナ危機をチャンスとみなして、建国一〇〇年である二〇四九年までに「社会主義現代化強国」を建設するという国家目標および「世界の中華」として君臨するという世界戦略を実現するために突進しているのだ。

しかし、その中国も深刻な「内憂外患」を抱えている。企業の相次ぐ倒産や多額の債務の抱え込み、鬼城（ゴーストタウン）の林立といった危機を露わにしているばかりではない。国内経済の危機のりきりをかけた「一帯一路」経済圏づくりも、中国権力者のあまりに露骨な人民抑圧への先進諸国権力者の反発を買い、他国を「債務の罠」に陥れる中国権力者にたいする中東欧諸国や東南アジアの権力者の反発が高まっているがゆえに、暗礁にのりあげているのだ。

こうしたなかで、習近平政権は、米欧日の諸企業の東南アジア諸国への流出をおしとどめるために、経済特区・深圳において賃金条例の改悪による労働者の賃下げに手を染めた。「世界の工場」として発展してきた中国経済のかげりに直面して、北京官僚政府は、これをのりきるために労働者・人民により一層の犠牲を強制しているのだ。党＝国家官僚や共産党員でもある企業経営者の首切り・賃下げによって貧窮に突き落とされた労働者・人民の憤激はいよいよ高まっているのだ。

こうしたことのゆえに習近平政権は、中国共産党の党創立一〇〇年のいま、習近平を「毛沢東の再来」と権威づけ、「共産党なしには新中国の建設も中華民族の復興もない」と必死にがなりたてている。

中国にたいする政治的・軍事的・経済的の圧力をかけるアメリカ帝国主義にたいしては、習近平は、「十四億人の中国人民の血肉で築かれた『鋼鉄の長城』の前に打ちのめされるであろう」などとあくまで「戦狼外交」を続けることを明言した。そして国内的には、習近平政権は、香港・ウイグル・チベットでの凶暴な弾圧を振りおろしている。まさにそれは来るべき対米決戦に備えて、「内憂」を取り除くことを狙った策動にほかならない。

この習近平中国との反米同盟を強化しつつ、「大国ロシアの復権」という国家戦略にもとづいて対米挑戦にうってでているのがプーチンのロシアである。唯一アメリカに匹敵する核兵器を保有する核大国であるロシアは、核戦力の強化を基礎にして、ウクライナをはじめとする旧ソ連邦構成諸国にまで「民主化」を拡大してきた米欧帝国主義にたいする巻き返しにうってでている。

プーチン政権は、クリミア半島沖を航行したイギリス軍艦船にたいして、警告射撃と爆弾投下という軍事的恫喝を加えた。これは、黒海艦隊の拠点であるセバストポリの防衛をも企図した米欧帝国主義への反撃にほかならない。

プーチン政権は国内においては、反プーチン・デモを弾圧しFSB（ロシア連邦保安庁）強権型支配体制を強化している。しかも反プーチン勢力への脅しとして、「国家的ハイジャック」を強行したベラルーシ・ルカシェンコ政権を庇護してもいるのだ。

アジアでは、ロシア極東地域をも射程に収める米軍の中距離ミサイルの日本配備に断固反対する意志を米日両権力者に突きつけるために、北方四島を含む極東地域での一大軍事演習を強行した。

グローバルな対中包囲網形成に躍起となるバイデンのアメリカ

こうした中露の攻勢に直面したアメリカ・バイデン政権は、「専制主義国家」と烙印した中国との「二十一世紀を決定づける戦略的競争」にうちかつために、「同盟の再興」を謳いながら同盟諸国・パートナー諸国を総動員してグローバルな対中包囲網をつくりだそうと狂奔している。

〝落日の盟主〟バイデンの古いメンタリティを表すエピソードがある。彼の執務室には、彼の尊敬するフランクリン・ルーズベルトの肖像画が掲げられているのだそうだ。チャーチルとともに「大西洋憲章」を謳い「専制主義」ナチス・ドイツと戦ったルーズベルトに己を重ね合わせているのであろう。だがバイデンがいかに「多国間主義」を標榜していても、それは沈むアメリカが「国益第一主義」の観点から同盟国を利用し尽くすというものでしかないのだ。

バイデン政権がもっとも重視しているのが、日本との軍事同盟を対中国のグローバル同盟として強化することにほかならない。

中国の「自由で開かれたルールに基づく国際秩序への挑戦」にたいして、「世界中の志を同じくするパートナーと協力することを確実にする」――このような、「新時代のグローバル・パートナーシップ」を謳う日米共同声明をうちだしたのが、バイデンと菅との四月の日米首脳会談であった。

アメリカに日米軍事同盟の鎖によって縛られた「属国」日本は、イギリスやオーストラリアをはじめとするアメリカのアングロサクソン同盟諸国とも、対中国の軍事的協力関係の一挙的強化に突き進んでいる。イギリスとオーストラリアとは、日米安保条約のような国際法的根拠はないにもかかわらず、事実上の軍事同盟をとり結んでいるといってよい。まさにムスリム人民を血の海に沈めるためのイラク戦争の過程で形成された米英日の「ハーケンクロイツ同盟」を想起させるではないか。

さらにバイデン政権は、アメリカが「価値観を共有」する「パートナー国」と位置づけるインドを、

「クアッド」と呼ばれる米日豪印の四ヵ国の政治的・軍事的・経済的の協力関係に引きこんでいる。

こうして米日両権力者によって日米軍事同盟の新たな強化がはかられている。それは、日米安保条約を改定することなく、政府権力者間の一片の合意をもって日米の軍事同盟に新たなグローバルな役割を果たさせるというなしくずしのやり口によって強行されているのだ。

バイデン政権は、対中国の包囲網を築くために日本国家の「兵とカネ」とを総動員しようとしている。いま中国のGDPがアメリカを上回るという予測が、パンデミックのもとで、二〇三〇年代初頭から二〇年代へと前倒しになっている。技術大国の指標とされる研究開発投資額でも近い将来、中国がアメリカを抜き去ろうとしている。

まさにバイデンのアメリカの同盟国総動員の策動こそは、猛烈に追いあげる中国に抜き去られることを阻止するための没落軍国主義帝国のあがきにほかならない。だがバイデンがそのために掲げる「自由・人権・民主主義」なるボロ旗は、力を喪失しつつも他国をつき従えようとするアメリカ帝国主義の傲岸・野蛮・専横の別名でしかないのだ。

われわれはすでにこの春、日米首脳会談の重大な意味を暴きだし断固たる反対闘争を展開した。そして日米合同軍事演習や辺野古新基地建設などの日米合意にもとづく諸攻撃を打ち砕くために、「日米の対中国グローバル同盟反対！」の旗高くたたかいぬいてきた。まさに日米両権力者による日米軍事同盟の飛躍的な強化を打ち砕くことができるか否かは、わが日本革命的左翼の双肩にかかっているのだ！

すべてのたたかう労働者・学生は闘いに起て！

B　米軍のアフガニスタンからの撤退と激動する中東情勢

アメリカ・バイデン政権は、〈9・11〉ジハード自爆事件から二十年となる九月を前に、米軍をアフガニスタンから完全撤退させることに汲々となっている。これこそ、何十万のムスリム人民を血の海に沈める蛮行の限りを尽くし、ムスリム人民の不屈の反米闘争に直面して二十年におよぶ侵略戦争に完全敗北した軍国主義帝国の惨めな末路いがいのなにものでもない。中東アラブ世界からの敗走こそは、軍国主義帝国アメリカの歴史的な没落を象徴する事態なのである。

いまバイデンがアフガンからの米軍完全撤退（さらにはイラク駐留米軍の年内の戦闘任務終了）に踏み切ったのは、中国およびロシアとの全面的激突への備えに必死となっているからにほかならない。

そして米軍の完全撤退に乗じて、アフガニスタン全域で勢いを増しつつあるタリバンとの政治的協力関係を強めるとともに、中央アジア諸国の反米国家連合への抱きこみを強化しているのが、中国・ロシアの権力者である。

いま、〈米中冷戦〉のいっそうの熾烈化がもたらされようとしているのだ。

われわれはあらためて確認するのでなければならない。二十年前の二〇〇一年九月十一日にムスリム戦士がアメリカの軍事・経済の中枢を射抜いたジハード自爆攻撃。この画歴史的な事件を同志黒田寛一は、「ヤンキーダムの終焉の端初」と喝破された。「テロ根絶のための非対称戦争」の名において、先制攻撃戦略にもとづいて強行された「一超」軍国主義帝国アメリカのアフガニスタンへの軍事侵略、さらには反米フセイン政権打倒を掲げたイラクへの軍事侵略にたいして、わが革命的左翼は〈ブッシュの戦争〉に反対する闘いを断固として推進してきた。われわれは、中洋ムスリム人民と連帯し、「イスラミック・インターナショナリズムにもとづき、反米・反シオニズムの闘いを推進せよ！」という呼びかけを発しながら、革命的反戦闘争を断固として創造してきたのだ。

イスラエルとイランの軍事衝突の危機

米軍撤退以後の中東において、イスラエルとイランとが軍事衝突する危機が刻一刻と高まっている。

イスラエルの対パレスチナ・対イラン最強硬派ベネットを首班とする政権と、八月に発足するイランの反米強硬派ライシ師を大統領とする新政権とが対立しようとしている。イスラエルのネタニヤフ前政権は、「天井のない牢獄」と呼ばれるパレスチナ・ガザ地区への猛空爆に狂奔した。ベネットを首班とする政権もまた、アメリカ帝国主義に支えられてガザへの爆撃をくりかえし、イランの核施設へのサイバー攻撃やドローン攻撃を断続的に強行している。

アメリカ帝国主義のイラク戦争における敗北以後、中東地域では、イラクのシーア派政権をもまきこんで「シーア派の弧」を形成するにいたった反米国家イランと、スンナ派王制諸国とが、ペルシャ湾を挟んで対立してきた。いま世界各国が「脱石油」へと舵を切るなかで、オイルマネーに依存することのできなくなったスンナ派王制諸国がハイテク国家イスラエルとの関係改善に踏みだし、ともにイランと対峙することとなった。

そしてまた、イスラエルをアメリカ帝国主義が支えており、イランを中国・ロシアが全面的にバックアップしている。

こうした中東における新たな構図の現出のゆえに、イスラエルによる対イラン軍事攻撃を発端として勃発するであろう〝第五次中東戦争〟は、ただちに世界的大乱の導火線となるにちがいないのである。

C　米—中・露のプレ戦争状態への突入

いま台湾において、南シナ海において、いつ米中熱戦の火が吹きあがるともしれない危機が急切迫している。アメリカと中国・ロシアの権力者どもは、〈米中冷戦〉の熱戦への転化に備えて、宇宙空間・サイバー空間をも含めた軍拡競争をくりひろげるとともに、相手国のインフラ施設や国防省などの政府・軍の中枢機関を狙って相互対抗的にサイバー攻撃を仕掛けてきた。

エシュロン・システムを使って世界中の携帯電話やインターネットなどの情報通信を傍受・監視し他国にサイバー攻撃を仕掛けてきた謀略帝国アメリカにたいして、ロシアおよびこのロシアとサイバー戦での相互協力を確認している中国とが日常的にサイバー攻撃をくりかえしている。

それればかりではない。ロシア・プーチン政権は、サイバー戦・電磁波戦と正規軍戦を組み合わせてウクライナからクリミア半島を奪い取った。中国・習近平政権は、南シナ海を中国の領海とみなしASEAN諸国が領有を主張する島々に中国軍や海警局の公船のみならず武装した漁船団を送りこんだりもしている。

これらをアメリカ権力者は、「ハイブリッド戦争」とか「グレーゾーンの戦争」とかと呼んで非難している。これにたいしてロシアのプーチン政権は、平時からサイバー攻撃や諜報戦などを駆使して相手の国力を弱体化させ、正規軍同士のぶつかり合いを最小限に抑えて軍事的勝利をもぎ取るという軍事戦略を定式化してさえいるのである。

そしていま、現実の戦場に、人間の判断を介さずにみずから標的を定め殺傷する人工知能(ＡＩ)を搭載した自爆ドローンなどの兵器(自律型致死兵器システムと呼ばれる)が次々に投入されはじめている。

例えば、アゼルバイジャンがロシア製兵器で武装したアルメニア軍を打ち破ったナゴルノカラバフ自治州をめぐる戦争において、アゼルバイジャン軍の勝利を決定づけたのはＡＩを搭載したトルコ製ドローン兵器であった。また、イスラエルの権力者は、ガザ空爆の際に、サイバー空間に構築したガザ地区の立体地図に、スマホの位置情報からすべてのガザ人民の動きをリアルタイムで映し出し、ＡＩを駆使してハマスの攻撃拠点や移動ルートを割り出し殲滅戦に狂奔した。

権力者どもが戦場に投入しはじめたＡＩ兵器は、人民を血の海に沈めれば沈めるほどその性能を向上させていくという〝悪魔の兵器〟にほかならない。

こうしたＡＩ兵器の、戦況を決定づける威力を見せつけられたアメリカと中国・ロシアの権力者どもは、国連の軍縮交渉など歯牙にもかけずに、世界に先駆けて進めてきたＡＩ兵器開発を加速させ、二〇三〇年までにＡＩロボット部隊を構築しようとしているのである。

かつての戦争は権力者による謀略をもって開始された。しかし今日では、情報通信技術や宇宙開発技術が発達し人工知能・ビッグデータの利用が横行するもとで、米―中露が宇宙空間に相互にはりめぐらせた軍事衛星を破壊するための「宇宙開発」の名を借りた〝宇宙戦争〟、サイバー攻撃をも駆使した相手国のインフラ破壊、ＳＮＳ（ソーシャルネットワーキングサービス）を用いてフェイクニュースを流し憎悪を煽りたてる現代の諜報戦などが戦争の発端となりつつある。

この意味で、すでにアメリカと中国・ロシアとは、プレ戦争状態に突入しているといっても過言ではないのだ。

D 「経済的安全保障」をからめての全面的激突

しかも、これらの権力者たちは、人工知能などの技術の覇権を制するものが二十一世紀を制するとみなして、相互に軍事的安全保障の戦略だけではなく、「経済的安全保障」戦略を練りあげ、ＡＩ・５Ｇ（第五世代移動通信システム）通信・量子技術・自動運転・宇宙開発などの、軍事技術と直結した高度技術の開発にしのぎを削っている。

アメリカと中国とが相互対抗的にくりひろげているところの、「二十一世紀のオイル」とされるビッグデータが相手国の国家機関や企業に奪われるのを阻止するための囲い込み。アメリカによる先端半導体の中国への輸出禁止措置の発動と、これに対抗しての中国権力者によるレアアース輸出規制の脅しという応酬――こうした技術覇権をめぐる、また戦略物資の確保をめぐる米―中露の角逐が熾烈にくりひろげられているのだ。

すでに人工知能や５Ｇ・量子暗号通信など一部の分野では、国家のもとに企業や人民のすべての情報を吸いあげビッグデータとして掌握するスターリニスト党専制国家・中国がアメリカを凌駕しているといわれる。それゆえバイデン政権は焦りにみちて巻き返しにうってでている。それは、世界一の経済大国・技術大国の座を中国に奪われることに怯えるアメリカ帝国主義のあがきにほかならない。

ソ連邦崩壊以後「一超」の地位を手にしたアメリカ帝国主義は、経済のグローバル化＝アメリカ化に狂奔してきた。こうしたグローバル化を進めれば中国は政治的に民主化すると思いこんできたのが、おごり高ぶったアメリカ帝国主義権力者であった。だがしかし、中国権力者は「資本主義を恐れず利用せよ」という鄧小平のご託宣以後、米欧日の独占資本を経済特区に呼びこみ安価な労働力をさし出すかわりに技術を盗んだ。いわばグローバル経済を逆手にとって経済大国にのしあがってきたのが、ネオ・スターリン主義中国であったのだ。

このように中国がアメリカから技術覇権を奪い取り世界一の経済大国にのしあがろうとしていることに驚愕し、歴代の政権の対中戦略を転換したのがトランプ前政権であったといえる。この政権は、経済的に「反グローバル化」を標榜しつつ、中国にたいして「アメリカ・ファースト」をむきだしにして貿易＝通商戦争を仕掛けた。これにたいしてバイデン政権は、「同盟の再構築」を掲げて、経済・技術の分野でも同盟諸国を、半導体やレアアースなどの独自の供給網の構築などに動員するかたちで、対中国包囲網の形成に狂奔しているのである。

そして、バイデン政権は、経済政策上でも「製造業の復活」を叫んで、八年間で二〇〇兆円のインフラ投資計画をぶちあげた。グローバリゼーションのもとでアメリカをはじめとする帝国主義諸国は、旧ソ連圏諸国をも草刈り場としたネオ・ネオ植民地主義の横暴をむきだしにしてきた。その反面で進行しているのが、アメリカの国内製造業の空洞化にほかならない。製造業の独占資本家どもはより安い労働力をもとめて吸血鬼のように世界へ進出したことのゆえに、製造業のほとんどが海外での受託生産をおこなっているのだからである。

まさにそれゆえに、バイデンの思惑通りに製造業独占体が国内に製造拠点を戻すはずもないのである。パンデミックのもとで「ヒト・モノ・カネの自由な移動」が止まり帝国主義諸国が築いてきたサプライチェーンが寸断された。こうしたことのゆえに、5Gや半導体およびレアアースなどの供給網を——中国への依存を断ち切るかたちで——同盟諸国の経済力・技術力を動員してつくりだそうと躍起となっているのがバイデン政権なのである。

バイデン政権による対中国の経済制裁および東南

アジア諸国へのインフラ支援などの対外政策に規定されて、中国に進出したアメリカ諸企業は、より安価な労働力すなわち「資本の生き血」をもとめて生産拠点を東南アジア諸国へ移している。これにたいして、習近平政権も、自国企業に東南アジア諸国への進出を促進している。こうしてインド太平洋諸国が、米中の政治的・経済的な抱き込み合戦の舞台とされているのだ。

いま、ブルジョア・マスコミではアメリカ経済の「復活」などと言われているが、その実態は、バイデンの巨額の大企業支援策と全国民一人あたり一五万円の給付金が消費に回ったことによって一時的な活況を呈しているにすぎない。この巨額の財政支出によってもたらされたインフレによって、貧しい労働者・人民は、いっそうの生活苦とローン地獄を強いられているのだ。

しかもバイデンの巨額の支援策の財源は、当初宣伝されていた「富裕層への増税」ではなく、すべて国債の大量発行とそのＦＲＢ（米連邦準備制度理事会）によるひきうけによってまかなわれている。バイデンが「富裕層増税」を棚上げにして独占資本支援に狂奔している背後には、「バイデンがアメリカを破壊している」と煽りたてるトランプへの支持の波がある。アメリカ社会の分断はいっそう深まっているのだ。

ここでアメリカ経済の末期性を象徴するエピソードを一つ紹介したい。パンデミック下で、二二兆円もの資産を懐にためこみ七月五日にアマゾンＣＥＯ（最高経営責任者）を退任したベゾス。この輩が先日、六兆円もの資金を投じて、たかだか高度一〇〇キロ・わずか十分間という〝宇宙旅行〟なるものをおこなった。地上に戻ったベゾスは、「すべての従業員に感謝する、なぜなら君たちがすべての代金を支払ったのだから」などとほざいたという。アマゾンの倉庫労働者やトラック労働者を、食事もとれずペットボトルに用を足さざるをえないという劣悪な労働条件のもとに置き強搾取し、労働組合づくりに決起した労働者への弾圧に狂奔してきたのがベゾスだ。まさにこの極悪人にたいして、人民からは「地球に帰ってくるな！」という一九万筆もの署名が突きつけられたのだ。

われわれは、アメリカの労働者階級・人民にたいして、政府・独占資本家どもに痛烈な反撃をくらわせる闘いへの決起を呼びかけようではないか！

すべてのみなさん！　米と中・露の権力者どもが政治・軍事・経済のすべてをからみあわせて全面的に角逐しているなかで、従来のような政治的軍事的対立関係とそのもとでの経済的なウィン・ウィンの関係は、もはや過去のものとなりつつある。このことがまた、〈米中冷戦〉の熱戦への転化に拍車をかけているのだ。そして、こうした諸国の国内では、貧富の差がいっそう拡大し、資本主義国では階級対立が、「市場社会主義国」中国ではスターリニスト党の特権官僚および官僚資本家と労働者・人民との対立がいっそう先鋭化しているのだ。そして、各国権力者は民衆の反逆を押しつぶすために、コロナ対策に乗じて政治支配体制を強権的に反動化している。いまこそ、全世界の労働者・人民に、戦争と貧困と圧政を強制する政府権力者を打ち倒す闘いへの決起を呼びかけよう！

II　反人民性をむきだしにする断末魔の菅政権

A　困窮人民を切り捨てオリンピック開催に狂奔

われわれは、己の延命のためにのみ五輪開催を強行し、感染爆発をもたらした犯罪人・菅政権を怒りをこめて弾劾するのでなければならない！

菅政権は、緊急事態宣言・まん延防止措置を拡大した。だがこの政権は、中小零細事業者への持続化給付金・家賃支援給付金はうち切ったままにし、困窮する労働者・人民への生活支援は一切おこなっていない。労働者・人民を困窮の地獄へ突き落としているのだ。

しかもあろうことか首相・菅は、「コロナにうち勝った後で、憲法改正にしっかり挑戦したい」などとほざいている。ゴロツキ・ジャーナリストを首相官邸に呼び寄せ、「コロナ対策で浮かび上がったように、改憲して緊急事態条項を創設するのが急務だ」などと吹きあげているのだ。まさに感染爆発を招いたみずからの責任は棚にあげて、「自衛隊明記」「緊急事態条項創設」などの憲法改悪に利用しようというのが、菅を筆頭とする政府・自民党の輩どもなのだ。断じて許すわけにはいかない！

菅政権は、「自助」というネオ・ファシズムイデオロギーをふりかざして、労働者・人民に塗炭の苦しみを強制している。

すでに、失業者は二一〇万人にもおよび、さらに二〇〇万人を超す労働者が休業手当も支払われずにシフトを削減される「実質的失業者」に突き落とされている。五輪開催の裏では、食料配給所に並ぶ労働者・学生の列が途絶えることはない。自殺に追いこまれる非正規雇用労働者とくに女性労働者も数千人規模で急増している。

まさに労働者・人民の政府・資本家どもにたいする怒りのマグマが渦巻いているのだ。

いまかつてない感染の急拡大がもたらされている。このなかで菅政権は、医療崩壊の危機を歯牙にもかけず、「いたずらに不安をあおるな」などと情報統制に躍起となっている。前首相・安倍晋三にいたっては「五輪反対は反日的」などとSNSで拡散し子飼いの右翼ゴロツキどもをけしかけてもいる。

そして、「五輪警備」に六万人の警察部隊と迷彩服姿の日本国軍部隊を動員し、治安弾圧体制を一挙に強化することを企んでいるのが菅政権にほかならない。

この反人民性をむきだしにする菅政権にたいして、全学連は、五輪開催直前の七月十九日、「五輪開催強行弾劾！」「菅政権打倒！」を掲げた断固たるデモを敢行した。わが闘いを檄として、いま労働者・人民の憎き菅政府にたいする怒りが噴出している。

五輪開催と「デジタル化」を掲げた独占資本支援に血道をあげる菅政権と、労働者に首切り・賃下げ攻撃を振りおろす独占ブルジョアどもにたいして、われわれは怒りの鉄槌を振りおろすのでなければならない！

いまや、菅政権は、感染爆発の責任転嫁に狂奔しダッチロールをくりかえす最末期の姿をさらけだしている。

菅政権は、自治体にたいする「ワクチン在庫のある自治体への供給量を一割減らす」というでたらめな指示を撤回に追いこまれた。ワクチン確保に完全に失敗したのみならず、「供給は十分」と真っ赤なウソをついていたのは担当大臣・河野太郎を先頭とする菅政権なのだ。この大ウソのうえに、「一日一〇〇万回」と接種加速を号令し大混乱を招いたのが菅政府ではないか。己の責任をすべて自治体になすりつけるための姑息な手口が、自治体当局や全人民の怒りを買っているのだ。

そればかりではない。菅政権が、酒類提供禁止措置を守らない飲食店や取引業者にたいしておこなった「金融機関を通じて働きかける」などという恫喝もまた、廃業やその寸前に追いこまれた事業者の囂々《ごうごう》たる怒りを浴びて、一夜にして撤回に追いこまれた。

菅政権が五輪に冠した「安心・安全の五輪」だの「感動で一つになる」だのという虚飾の看板は完全に吹き飛んだ。心神喪失の首相・菅は「五輪の中止はない」とうわごとのようにくりかえしている。いまこそ、「反菅政権」の巨大な闘争を巻きおこし極悪・菅政権を奈落に叩きこめ！

B　日米の対中国グローバル同盟強化と憲法改悪への突進

＜米中冷戦＞のもとでアメリカ帝国主義に日米安保の鎖で締めあげられた「属国」たる日本の菅政権は、ガタガタになりながらも、バイデンのアメリカの対中包囲網形成の策動に全面的に加担して日米軍事同盟の強化に突進している。「二十一世紀の覇者」の座をアメリカから奪い取るために、台湾統一だけでなく尖閣諸島奪取などの攻勢に突き進む習近平の中国。この中国国家と最前線で対峙している日本帝国主義の菅政権は、日本を名実ともにアメリカとともに「戦争する国」へと飛躍させるために、敵基地先制攻撃体制の構築と憲法大改悪に血道をあげているのだ。

政府・防衛省は、「台湾海峡の平和と安定の重要性」の文言を『防衛白書』に初めて明記した。そして『白書』発表にあたって、「日米同盟の強化がこれまで以上に重要」「普遍的な価値や安全保障上の利益を共有する国々との連携を図る」と叫びたてたのが防衛相・岸信夫であった。まさにそれは、バイデンのアメリカにつき従って、アメリカだけでなくイギリスやオーストラリアなどとも事実上の軍事同盟関係を結び、「台湾有事」の際に日本国軍が最前線にたって戦う軍事体制を構築すること、さらに対中包囲網形成の先兵として立ちまわることを、世界に向かって宣言したという意味をもっている。

この日本政府にたいして、中国・習近平政権は、「台湾問題は中国の内政に属する」「必ず統一する」と猛烈な恫喝を突きつけたのだ。

菅政権は、この秋、陸上自衛隊全軍一四万人を動員した未曾有の大軍事演習を強行しようとしている。このような規模の演習は、実に一九八五年のソ連侵攻を想定した演習以来のことである。これとまさに一体のものとして、アメリカ・インド太平洋軍やイギリスの空母部隊との合同演習や日米合同軍事演習を連続的に強行しようとしているのだ。まさに日本全土を対中国の準臨戦態勢に突入させると言うべきこれらの空前の軍事演習こそ、東アジアにおける戦争的危機を一挙に高めるものにほかならない。そして菅政権は、こうした軍事演習をくりかえしつつ、アメリカのバイデン政権とともに新たな対中国戦争計画を練りあげようとしている。年内にも開催されようとしている日米2プラス2協議は、その公然たる宣言の場となるにちがいない。

菅政権はまた、アメリカ・バイデン政権がおしすめる「経済的安全保障」の名によるハイテク開発・半導体などの供給網再構築に全面的に協力している。そのために菅政権は、大学・研究機関を軍事研究に動員することを狙って、アカデミックな分野で教員・研究者への諜報活動を強めるために、反政府的とみなした教員をパージする策動を強化している。

これは自民党政治エリートどもの権力抗争とからみあっている。すなわち、秋の解散総選挙に向けて、菅を首相に担ぎあげた二階俊博がキングメーカーの座を握ろうと蠢いている。これにたいして安倍晋三・麻生太郎・甘利明（いわゆる「3A」）が、二階から幹事長ポストを奪いさり党内の主導権を握りしめるために、党内で勢力を誇示しようと「半導体議連」を立ちあげた。

とはいえ各派閥の領袖どもは、現下の猛烈な感染拡大のなかで、たとえ内閣支持率が二〇％台に落ちこもうとも、〝どうせ負けるなら菅でいくしかない〟という政治的打算を働かせてもいる。追いつめられた自民党は、かくも醜悪な抗争をくりひろげているのだ。

こうして菅政権は、ヨレヨレになりながらも、改憲翼賛の極右どもを固めて衆院選挙をのりきり、改憲発議への道を開こうと血眼となっている。秋の臨時国会において、「憲法九条への自衛隊の明記」「緊急事態条項の創設」を核心とする改憲案の提示を狙っているのだ。菅政権による憲法改悪の攻撃こそ、対中国攻守同盟の構築に見合う内実でのネオ・ファシズム憲法の制定という重大な意味をもっているのだ。

かつてアメリカのイラク軍事侵略への参戦を日本政府が決意したとき、同志黒田は、「軍事同盟を結んでいる独立国が同時に『アメリカの属国』とならざるをえない。これが、今回の小泉政権の参戦の意志として現れている」（黒田寛一『ブッシュの戦争』KK書房刊、四〇頁）と喝破したのであった。日米軍事同盟の鎖で縛られた「アメリカの属国」日本の国家権力者どもは、「主」と心中するいがいに生き残る道がない。菅政権は、没落を露わにしつつも、対中国のグローバルな包囲網をつくろうとしているアメリカ帝国主義への政治的・軍事的・経済的な従属をますます深めているのである。

Ⅲ　革命的反戦闘争の大爆発を！　菅政権打倒へ進撃せよ！

A　＜米中冷戦＞下の戦争勃発の危機を突き破れ！

すべてのみなさん！　われわれは、うちつづくパンデミックのまっただなかで、菅政権の反動攻撃を打ち砕くために、そして＜米中冷戦＞下の戦争的危機を突き破るために、仁王立ちになってたたかいぬいてきた。本集会を新たな出発点として、さらなる闘いに断固としてうってでようではないか！

われわれは、＜米中冷戦＞下の戦争勃発の危機を突破することを課題とする革命的反戦闘争の巨大な爆発をかちとるのでなければならない！

先に述べたように、アメリカと中国・ロシアとは、すでにプレ戦争状態に突入したといっても過言ではない。まさにこれら権力者どもが、台湾を焦点としてぶつかりあい、日本全土をはじめ東アジア全域を巻きこんだ戦争勃発の危機を日増しに高めているのだ。

われわれは、「台湾の中国化」をめぐる米日―中のいっさいの対抗的軍事行動に反対するのでなければならない。米―中露のインフラ破壊を狙ったサイバー攻撃の応酬を許すな！　ＳＮＳをも利用した現代の諜報戦に反対しよう！

全面的にぶつかりあう米―中露の権力者どもは、極超音速兵器や「使える核兵器」と称する小型核兵器の開発・配備にしのぎを削っている。アメリカが、日本やグアムに核弾頭も搭載可能な中距離ミサイルを配備しようとしているだけではない。中国権力者も、対米決戦に備えて、内陸部の砂漠地帯のＩＣＢＭ（大陸間弾道ミサイル）発射拠点を数百ヵ所も増設しているのだ。まさにそれゆえに、東アジアで戦火が吹き上がるならば、それが世界大的な熱核戦争へと発展する危機が高まっているのだ。われわれは、〈米―中・露の核戦力強化競争反対！〉のスローガンを高く掲げてたたかおうではないか！　ＡＩ兵器や生物化学兵器の開発競争にも反対しよう！

それとともにわれわれは、イスラエルによるイラン軍事攻撃に断固反対するのでなければならない！　ベネット政権によるガザ空爆を弾劾せよ！

Ｂ　反戦反安保・改憲阻止の闘いの爆発をかちとれ！「反菅政権」の巨大なうねりを巻きおこそう！

われわれは、今夏・今秋、反戦反安保・改憲阻止の闘いの爆発をかちとろうではないか！

まずもってわれわれは、日米軍事同盟の対中国グローバル同盟としての強化に断固として反対しよう！

九月の英空母クイーン・エリザベスの横須賀寄港と米英日の合同軍事演習とこれと軌を一にした陸上自衛隊一四万人の一大軍事演習の強行こそは、日米軍事同盟の飛躍的強化を画する攻撃にほかならない。英空母クイーン・エリザベスの横須賀寄港阻止！　米英日の合同軍事演習反対！　陸上自衛隊演習阻止！　日本国軍の南シナ海・インド洋・中東への派遣を許すな！

Ｆ35Ｂの配備、「いずも」「かが」の空母化をはじめとする敵基地先制攻撃体制の構築阻止！　米軍中距離ミサイルの日本配備を阻止しよう！

沖縄・九州の仲間と固く連帯し、辺野古新基地建設を阻止しよう！　馬毛島への米軍機訓練の移転に反対しよう！

われわれは、「反安保」を放棄した日共系反対運動をのりこえたたかうのでなければならない！

日共不破＝志位指導部は、総選挙が近づけば近づくほど、一切の闘いを票田開拓へと解消しさっている。彼らは、立憲民主党・枝野執行部から「閣内協力はない」と突きつけられたにもかかわらず、この保守政党にますます抱きつき、「安保条約廃棄を他党との一致点として求めない」と強調している。そればかりか、四月の衆院北海道補選における「野党共闘候補」の政策協定では、彼らの代案のただ一つの看板であった「日米地位協定の改定」の旗すら引き下ろしたのが日共官僚どもだ。だが、菅政権がバイデン政権との日米合意にもとづいて日米安保強化の一大攻撃を振りおろしているときに、「反安保」どころか「地位協定改定反対」の旗すら引き下ろすとは、怒りに燃えて起ちあがる労働者・人民への敵対いがいのなにものでもない！

　不破＝志位指導部は、日米両政府の安保強化について、「中国の覇権主義にたいする冷静な批判を欠いたまま、軍事的対応の強化をはかることは、軍事対軍事の危険な悪循環をもたらすだけ」と主張している。だが彼らは、菅政権が「中国の脅威」を煽りたてながら日米合同軍事演習を強行していることに断固反対することを放棄しさっている。そのうえで、日米両政府にたいして、中国海警法について「きっぱりと撤回を求めるべきだ」などと突きあげているのだ。

だが、いま日米両権力者は、日米安保条約を改定することなく、首脳会談や外務・防衛閣僚による2プラス2協議での日米合意にもとづいて、日米安保同盟を対中国のグローバルな同盟として飛躍的に強化しようとしているのであって、このきわめて重大な攻撃にたいして日本労働者階級・人民の巨大な反戦反安保の闘いを巻きおこすべきときなのである。このときに、日米軍事同盟の強化に反対することを投げ捨て、日米両政府にたいして「中国への非難を強めよ」などと迫るのは、米中熱戦の火が噴きかねない現情勢のもとで、日本権力者による戦争政策のお先棒を担ぐことしか意味しないのだ。

われわれは、英空母寄港や日米英の合同軍事演習に反対する諸闘争を「日米の対中国グローバル同盟反対」の旗高く反戦反安保闘争としてたたかおう！　われわれはいまこそ、日米安保同盟の鎖を断ち切るべく、＜基地撤去・安保破棄＞をめざしてたたかおうではないか！

同時にわれわれは、中国・習近平政権による台湾・尖閣・南シナ海での反人民的な軍事行動にも断固として反対しよう！　習近平政権による香港・ウイグル・チベットでの人民弾圧弾劾！　人民を血の海に沈めるミャンマー軍政を公然と支える習近平政権を許すな！

そしてわれわれは、菅政権による憲法大改悪を絶対に阻止しようではないか！

「戦争放棄」「戦力不保持」を謳う憲法九条を葬りさることを狙った改憲条文案の国会提示を断じて許すな！　コロナ対策を利用した「緊急事態条項」の創設に反対せよ！　菅政権による憲法改悪の攻撃こそは、日米の対中国攻守同盟に見合った憲法への改定という重大な意味をもっている。これを暴きだしつつ、＜反安保＞＜反ファシズム＞の旗高くたたかおう！

「デジタル庁」の創設阻止！　学界への国家的統制の強化反対！　鉄の六角錐にもとづく日本型ネオ・ファシズム支配体制の強権的強化を許すな！

政府・独占資本による労働者・人民への犠牲強制に断固として反対しよう！

いまこそ菅政権に怒りを燃やすすべての労働者・人民の力を結集し、「反菅政権」の巨大な闘いを巻きおこせ！　菅日本型ネオ・ファシズム政権打倒へ総力を挙げて進撃しようではないか！

C　革命的反戦闘争の国際的波及をかちとれ！

すべてのみなさん！　いま二十一世紀現代世界は、新型コロナ・パンデミックのもとで暗黒の世紀としてのむごたらしい姿をむきだしにしている。これがスターリン主義ソ連邦の崩壊から三十年の、われわれの眼前にしている歴史的現実なのだ。

アメリカと中国・ロシアとが「世界の覇者」の座をかけて国家エゴイズムをむきだしにしてぶつかりあい、いつ熱戦の火が噴きあがるともしれぬ戦争的危機が切迫しているというだけではない。

米日などの資本主義諸国では、富める者と貧しき者との格差が極大化し、労働者・人民は困窮のどん底に突き落とされている。マルクスの時代のような階級対立と労働者階級の貧困がむきだしとなっているのだ。支配階級の政治的代弁者たる政府・権力者はそのゆえに、人民の反逆を抑えこむために、民主的な権利を一掃し支配体制の強権的強化に突き進んでいる。〝今ヒトラー〟どもが各国で闊歩しているのだ。

電子情報を物神化する電脳人間の大量産出、人工知能ＡＩの跋扈のもとでの人間の非人間化＝ロボット化もまた一挙に進行している。これらは、二十一世紀現代における人間疎外の新たな形態にほかならない。

そして地球環境のすさまじい破壊が進行してもいる。米欧日の帝国主義諸国やネオ・スターリン主義中国などによって排出された膨大な温室効果ガスの蓄積により大気と海水の温度が上昇し、世界各国で豪雨や熱波などの大災害をもたらしている。日本列島を豪雨・台風が襲ったのみならず、中国・河南省では「千年に一度」の豪雨で省都が水没した。ドイツやオーストラリアでも大洪水が発生している。北米西部では、熱波によって史上最大規模の山火事がおきた。これらによって数多の人民が激甚化した災害の犠牲となり、「環境難民」もうみだされている。こうした異常気象は、たんなる自然現象ではなくして、資本制的生産の地球大的規模での拡がりの反作用をうけた環境的自然がひきおこしている異変にほかならない。

われわれは、同志黒田の次の言葉を銘記しようではないか。

『「かけがえのない地球』を『人類の未来』のために汚さないようにし、資源を浪費しないようにすることが、現代における人倫の要であるのではない。《いま・ここ》において、地球環境の破壊と生物種の相次ぐ死滅をもたらした科学・技術のブルジョア的発展を告発し、独占資本による環境的自然の乱開発の悪と『資本制経済そのものの悪』を根絶することをめざすことこそが、まさに核心問題なのである」(黒田寛一『実践と場所』こぶし書房刊、第二巻三二〇頁)。

アンチ革命者・ゴルバチョフのもたらしたスターリン主義・ソ連邦の消滅によって革命ロシアは埋葬された。それから三十年。この「世紀の逆転」をわれわれの手で再逆転し、二十一世紀を「プロレタリア革命の世紀」たらしめるためにたたかいぬくことこそが、日本反スターリン主義革命的左翼の責務である。

そのためにわれわれは、同志黒田が二十一世紀劈頭にあたって呼びかけた「マルクス・ルネッサンス」の場所的実現をなしとげるのでなければならない。∧反帝国主義・反スターリン主義∨の旗のもと、国境を越えて階級的に団結した労働者階級・人民の闘いを創造するために奮闘しようではないか！

すべてのみなさん！

∧米中冷戦∨下で高まる戦争勃発の危機を突き破る反戦の闘いを断固として創造し、わが革命的反戦闘争を全世界に波及させよ！　いまこそ、全世界の労働者・人民と連帯して反戦闘争のうねりを巻きおこせ！　団結固くともにたたかわん！

（二〇二一年八月一日）

アメリカ中距離ミサイルの日本全土への配備阻止！

伊舎堂高志

東アジアとりわけ台湾をめぐる習近平中国との軍事的角逐が熾烈化するなかで、アメリカのバイデン政権は、核弾頭も搭載可能な中距離弾道ミサイルの日本全土への配備にのりだそうとしている。

このかん中国は、南シナ海の〝領海化〟をおしすめるとともに、中距離弾道ミサイルを中国の内陸部や沿岸部の各基地に大量に配備して、在日米軍基地などの米軍基地群や接近する米空母を撃破しうる軍事態勢をつくりだしてきた。

この中国に対抗してアメリカのバイデン政権は、台湾周辺海域や南シナ海に空母打撃群を展開させるとともに、新型中距離ミサイルの開発をおしすすめ・これをフィリピンから日本の南西諸島にかけての「第一列島線」上に、さらに日本全土に配備する準備を進めているのだ。そしてこれと一体的に、自衛隊ミサイル部隊の強化をおしすすめているのが日本の菅政権だ。

バイデン政権による新型中距離ミサイルの日本全

土への配備を阻止せよ！　日米の対中攻守同盟強化を許すな！

ＭＤＴＦを中軸とした対中ミサイル網の構築

バイデン政権は、二〇二二会計年度の国防総省予算で、「太平洋抑止イニシアチブ（ＰＤＩ）」に五一億ドル（約五六〇〇億円）を計上した（二〇二一年五月二十八日発表の予算教書）。二〇二一会計年度に計上されていた二二億三五〇〇万ドルからは倍以上の増額だ。このＰＤＩは、今年一月に成立した国防授権法にもとづき、「インド太平洋地域における米軍の抑止力と防衛体制強化」を目的として新設された特別基金で、インド太平洋軍はさらに八億九〇〇〇万ドルを要求しようとしている。

バイデン政権がＰＤＩの最大の目玉としているのが陸軍の「多次元機動部隊」（マルチドメイン・タスクフォース＝ＭＤＴＦ）の新設だ。このＭＤＴＦの任務は、主にミサイルで中国軍の「接近阻止・領域拒否（Ａ２／ＡＤ）」能力を撃破することとされ、二三年までに一個部隊が編成される（さらに一個部隊が追加）。

アメリカ陸軍はＭＤＴＦを、①多次元領域（諜報＝情報戦・サイバー戦・電子戦・宇宙戦）を担う「Ｉ２ＣＥＷＳ大隊」、②ＨＩＭＡＲＳ（高機動ロケット砲システム）・中距離ミサイル・ＬＲＨＷ（長射程極超音速兵器）の三つの中隊からなる「戦略火力大隊」、③「防空大隊」、④「旅団支援大隊」の四つの大隊で構成される、「敵のＡ２／ＡＤネットワークを撃破するための戦域レベルの機動部隊」と定義し、敵の勢力圏内に侵入し敵の防御態勢を無力化して米統合軍本隊の作戦遂行に途を開く〝斬り込み隊〟として位置づけている。

このＭＤＴＦの中核装備となる兵器のひとつが、現在開発中の中距離のＬＲＨＷである。音速の五倍以上の速さで高度を変更しながら変則軌道を描いて飛行し、弾道ミサイル防御網を突破する、とされる。射程は二七七五キロメートルとされ、二三年の実用化がめざされている。さらには、射程がより短い次世代型地対地ミサイル（「精密打撃ミサイル　ＰｒＳＭ」）や、陸上から中国海軍艦を狙うＳＭ－６ミサイル、トマホークの陸上配備型などの最新兵器も導入しようとしている。これらの最新鋭の中距離ミサイルを装備したＭＤＴＦをバイデン政権が、中国本土を射程内に収める「第一列島線」に沿って配備しようとしているのは明らかであり、南西諸島はもとより日本全土がその候補地とされているのだ。

米軍が日本全土への配備をたくらむ中距離ミサイル
ＬＲＨＷ（米陸軍が開発中のイメージ図）

バイデン政権は、中国との「二十一世紀を決定づける戦略的競争」にかちぬくために「同盟の再構築」を謳い同盟諸国を総動員して、インド太平洋地域における対中国の包囲網の形成にのりだしている。その柱のひとつをなすのが、中距離ミサイルの開発・配備だ。この中距離ミサイルを装備した部隊を、インド太平洋軍は、フィリピンから南西諸島にかけての「第一列島線」に沿って、さらには日本列島の各地に配備しようとしているのだ。

「空母キラー」配備を進める中国軍への対抗

Ｇ７サミットの共同宣言において「台湾海峡の平和と安定の重要性」を明記させたアメリカのバイデン政権。これにたいして、習近平の中国は、「内政干渉反対」を叫ぶとともに、中国軍の戦闘機「殲16」など二十八機を台湾の防空識別圏（ＡＤＩＺ）に侵入させて、これに応えた。こうして台湾海峡や南シナ海を焦点に米・中の角逐が激烈化しており、戦争勃発の危機がいやましに高まっている。

習近平の中国は、台湾海峡や尖閣諸島周辺に、中国の海・空軍を常時展開させアメリカ軍を牽制すると同時に、「台湾有事」の際に米空母部隊が台湾周辺海域に侵入することを阻止するために、中距離弾道ミサイルなどの配備を増強し即応態勢をとっている。

かつて一九九六年の〝台湾海峡危機〟のさいに、米軍が台湾海峡に派遣した二つの空母艦隊を前に、当時の中国軍はなすすべがなかった。これ以降、海軍の増強や短・中距離ミサイルの開発・配備をしゃにむにおしすすめてきたのが中国だ。いまや中国は、空母二隻を有し（さらに三隻目を建造中）、南シナ海や東シナ海において展開させている。

南シナ海の岩礁に軍事施設を次々と建造し、南シナ海の〝領海化〟をおしすすめてきた中国は、そのことをも基礎にして、いまや台湾の「統一」＝併呑を中国共産党の「歴史的任務」と宣言して（中国共産党創立一〇〇周年集会）、台湾海峡や尖閣周辺海域の制圧を策している。中距離核戦力（ＩＮＦ）全廃条約のもとで、アメリカが地上発射型中距離ミサイルの実戦配備を停止していた間隙をぬって、中国は、アジア・太平洋地域に展開する米軍を撃滅するために、在日米軍基地や米空母を狙う中距離弾道ミサイル二〇〇〇発以上を東アジア・西太平洋側に向けて配備している。二〇二〇年八月には、「空母キラー」（ＤＦ21）と呼ばれる対艦弾道ミサイルと、グアムまでも射程に収める「グアム・キラー」（ＤＦ26）と呼ばれる中距離弾道ミサイル四発を南シナ海に撃ちこみ、アメリカの空母打撃群による台湾近海および南シナ海での威嚇的軍事行動を牽制すると同時に、その精度を誇示するほどに軍事力を強化しているのだ。

（補を参照）

こうした習近平中国による台湾併呑を射程に入れた軍事体制強化の策動に直面して、バイデン政権のもとでアメリカは、同盟諸国との結束を基礎に、中・露に対抗していく姿勢を鮮明にした。日米軍事同盟を中軸としつつこれにイギリスを加えた〝ネオ三国同盟〟の枠組みを構築しこれを対中戦略の柱にしようとしているのだ。こうした同盟諸国との結束を基礎に、対中国ミサイル網の構築を一段と加速させているのがバイデンのアメリカなのだ。

　こうして今、インド太平洋、とりわけ東アジアにおいて、米・中が新たなかたちで短・中距離ミサイルの開発・配備競争をくりひろげ、戦争勃発の危機が日に日に醸成されているのだ。

陸上自衛隊の南西諸島への配備

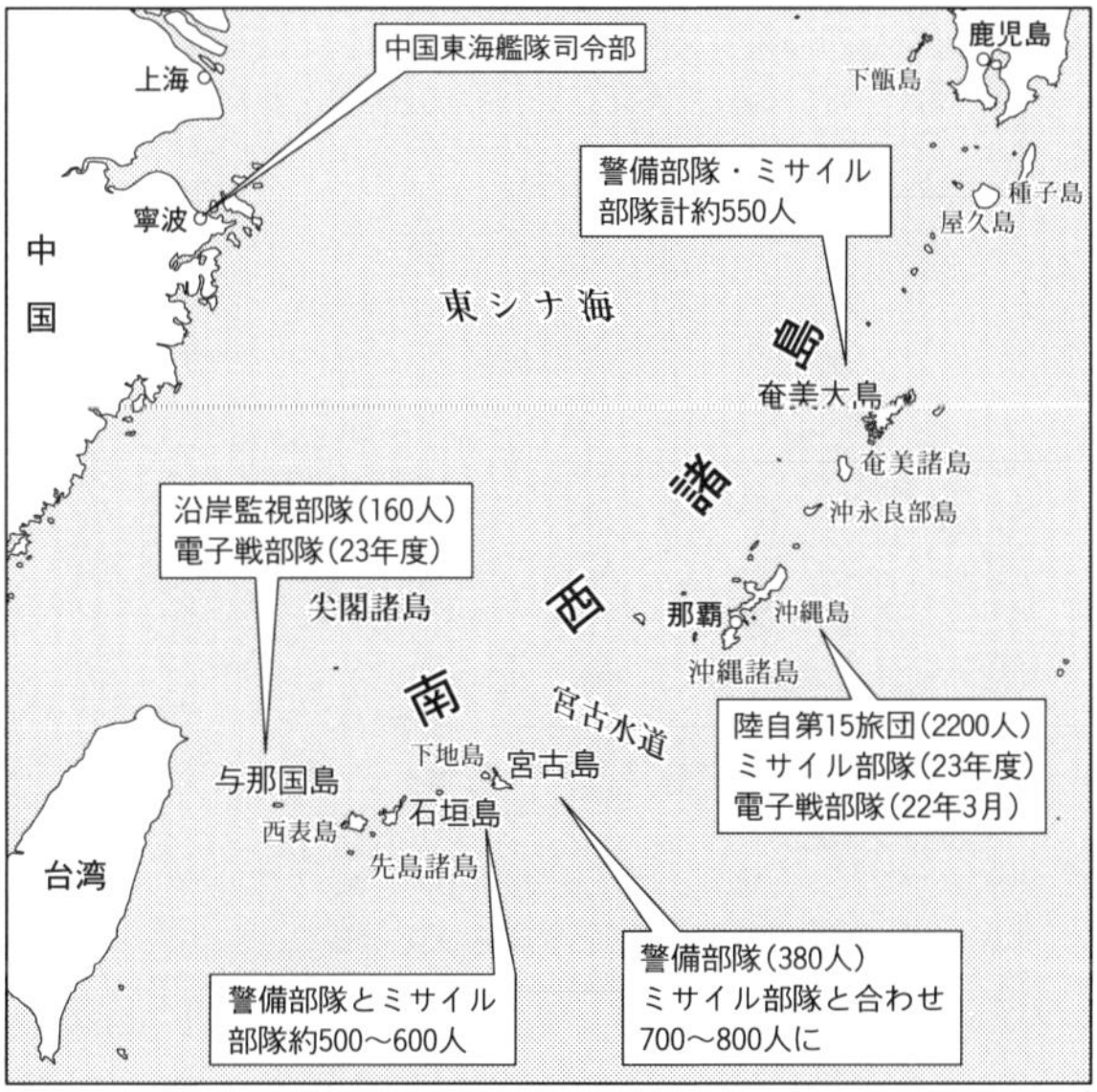

日本列島・南西諸島の対中最前線拠点化を許すな

　在日米軍基地などのアメリカの基地群を射程に収め、米空母などのアメリカの艦船をも狙うかたちで張りめぐらされている中国の短・中距離のミサイル網。在日米軍基地がこの中国軍のミサイル網の射程圏とされるなかでこれに対抗していくためにアメリカの政府権力者は、このかん、米軍の再編をおしすすめてきた。現在の在沖米海兵隊の司令部機能をグアム・ハワイに移し、在沖米軍を対中国の最前線部隊として強化する。そのために辺野古に（オスプレイやF35Bを配備した）対中国の最前線基地を建設する――このような追求をしてきたのがアメリカの権力者だ。

　しかし、中国のミサイル網は、いまやグアム基地をも射程に収めている（推定射程四〇〇〇キロメートルの「DF26」の配備）。こうした中国の短・中距離ミサイルの配備に対抗して、アメリカのバイデン政権は、対中国ミサイル網を構築していくために、最新鋭の中距離ミサイルの開発を急ピッチでおしすめているのだ。

そしてアメリカ帝国主義は、「第一列島線」内で中国軍が空と海とを支配することを阻止するために、新たな作戦構想を練りあげつつある。グアムやハワイそして在日米軍基地の米軍部隊が――日本国軍部隊をその指揮管制下に組みこむとともに――中国国内に配備されている短・中距離のミサイル発射拠点をその射程外から先制的に攻撃し徹底的に破壊する軍事体制を構築する。それとともに「第一列島線」上の島嶼部に多次元領域戦闘装備をもつ機動部隊をいち早く侵入・展開させ、中国軍の射程圏内から迅速に中国海軍・空軍部隊への攻撃を加え殲滅するという軍事作戦構想＝ＥＡＢＯ(遠征前進基地作戦)をはじめとする新たな作戦構想を練りあげ、対中国の米日共同作戦体制の飛躍的強化に突進している。

この対中国の米日共同作戦体制を担うべく、菅政権は、南西諸島に配備した自衛隊ミサイル部隊を強化すると同時に、長距離巡航ミサイルを搭載させたＦ35Ｂと、空母に改修する「いずも」「かが」とを一体的に運用して南西諸島や台湾海峡周辺海域に展開させる計画をも練りあげているのだ。

すでに、南西諸島の島々には、台湾海峡や東シナ海において軍事行動を一段と強める中国軍に対抗するために、陸上自衛隊のミサイル部隊や電子戦(電磁波戦)部隊が配備されつつある。鹿児島県の奄美大島では、陸上自衛隊の奄美駐屯地と瀬戸内分屯地が開設され、高射中隊や地対艦ミサイル中隊など五五〇人が配備された。沖縄県の宮古島では、宮古島駐屯地が開設され、高射特科群や地対艦ミサイル中隊など七〇〇～八〇〇人が配備された。そして石垣島でも、二〇二二年度に奄美大島や宮古島と同様の部隊が配備される予定だ。さらに二〇二三年度にも、同ミサイル部隊を、沖縄本島・うるま市の陸上自衛隊勝連分屯地に配備すると同時に、これら南西諸島四ヵ所のミサイル部隊を指揮統制する本部機能も勝連分屯地に設置する方針を決めたのが政府・防衛省だ。また、熊本と沖縄・与那国に、敵のレーダーや通信網を破壊するための電子戦部隊を配備しつつある（本誌本号の「対中国『電子戦』体制づくりを急ぐ政府・防衛省」を参照）。こうして、アメリカの対中国軍事包囲網の一翼を担うかたちで、南西諸島に〝琉球の防壁〟と称される「ミサイル要塞」を構築してきているのが日本の政府権力者だ。

こうして、いまや「第一列島線」上の南西諸島だけではなく日本列島全体が、対中国の最前線拠点にされようとしている。しかし日本共産党指導部は、中距離ミサイルの日本配備の問題を無視しつづけている。『しんぶん赤旗』紙上で報じることさえしないのだ。

われわれは、日共指導部によるいっさいの闘争放棄をのりこえたたかうのでなければならない。米・日両政府による中距離ミサイルの日本全土への配備を阻止せよ！　日米の対中攻守同盟強化を許すな！

〔補〕このかんアメリカは、ロシア（ソ連）との中距離核戦力（ＩＮＦ）全廃条約のもとで、ロシア（ソ連）の中距離核戦力を封じこめていくために、みずからの開発・配備も抑えてきた。そのさなかに、中距離核戦力の開発・配備を一挙におしすすめてきたのが中国なのだ。

こうして、「核の三本柱」（ＩＣＢＭ・ＳＬＢＭ・戦略爆撃機）においては依然として中国を圧倒しつつも、中距離核戦力の配備においては対中国の劣勢を強いられてきたアメリカは、トランプ前政権のもとで、「ロシアの条約不履行」を挙げて――実のところは、中国の中距離ミサイル開発・配備に対抗していくために――中距離核戦力全廃条約からの離脱を通告した（一九年二月）。そして、同年八月に同条約が失効するや、アメリカは早速、海上発射型巡航ミサイルを地上発射型に改良した「トマホーク」の発射実験を強行したのだ。これを号砲として、核・非核両用の中距離ミサイルの開発を一挙におしすすめてきているのがアメリカ帝国主義なのだ。

こうしたＩＮＦ条約失効後における米中（露）の核戦略レベルでの軍事的角逐は、別途分析されなければならない。

対中国「電子戦」体制づくりを急ぐ政府・防衛省

日本列島への「電子戦部隊」の配備

防衛大臣・岸信夫は、「電子戦」（電磁波を使った戦い）の専門部隊を二〇二三年度をめどに陸上自衛隊与那国駐屯地（沖縄県）に新たに配備することを正式に表明した（二〇二一年八月三日）。菅政権・防衛省は、東京の陸自朝霞駐屯地に「電子作戦隊」なる司令部を設置し（二一年度末まで）、中国・ロシアを包囲するかたちで北海道から南西諸島にいたる十ヵ所以上に「電子戦部隊」を配備する計画を発表し、すでに部隊配備を開始している（三月）。すなわち、――

①中・露両軍司令部の通信状況を常時傍受・掌握するために、中・露全土を大きく覆うかたちで北海道の留萌から九州の健軍（熊本県）までに「列島の弧」と呼ぶ遠距離対応の電子戦部隊（短波を使用）を配備する（熊本市健軍駐屯地には今年三月配備済み）。②同時に「台湾有事」における戦闘にそなえて中国軍の戦闘機や艦船、部隊の通信を掌握するた

めに、対馬から沖縄本島―与那国島までを対中国の最前線と位置づけて「南西の弧」と呼ぶ近距離対応の電子戦部隊（超短波・マイクロ波などを使用）を配備する。

この「南西の弧」には、来年三月までに沖縄本島の陸自知念分屯地に二十名の司令部を置き、那覇駐屯地に数十名規模の「第三〇一電子戦中隊」を配備する。また二三年度末までには与那国駐屯地にも電子戦部隊を配備する、としている。彼らは、今年三月健軍駐屯地に導入した最新の「車載式ネットワーク電子戦システム（NEWS・一機八七億円）」を南西諸島の陸自基地にも次々と配備しようと目論んでいるのだ。

中国が「台湾有事」にそなえてサイバー戦・電子戦を任務とする「戦略支援部隊」をいっそう強化していることに危機感を抱くアメリカ・バイデン政権は、中国による「電子戦とサイバー戦」を組みこんだ「ハイブリッド戦闘」に対抗する体制を構築しようと狂奔している。その一環に日本国軍の「電子戦部隊」を深ぶかと組み入れることを策している。菅政権は、これに全面的に応えて日本全国に、とりわけ対中国の最前線の南西諸島に電子戦部隊を配備しようとしているのだ。われわれは、これを断じて許してはならない。

日米共同の「マルチドメイン作戦」の体制づくり

「電子戦部隊」の任務は、平素から敵軍が使用する電磁波にかんする情報を収集し、有事には敵軍からの電子攻撃にたいして、使用する電磁波の周波数を即座に変更して「防護」する。また「電子攻撃」では敵軍の通信機器やレーダーにたいしてより強力な電磁波を発射して（ジャミング）、敵の「目と神経」を破壊し、その戦闘能力を無力化することにある、とされている。

このような「電子戦」のために開発されたのが、「車載式ネットワーク電子戦システム」である。

三菱電機が開発したこの「車載式ネットワーク電子戦システム」なるものは、これまで分離していた敵の電磁波の情報を収集・分析するシステムと攻撃・破壊するシステムとを初めて一体化したものとされている。電子戦装置を小型・軽量化して機動性を高めると同時に（輸送機での移動をも目論んでいるにちがいない）、敵軍による大量のドローン攻撃などの際に発する多数の電子信号を瞬時に把握し対処できる機能をそなえているというのだ。

自衛隊は有事にさいしては、米軍の指揮統制のもとにこの「車載式ネットワーク電子戦システム」車両を迅速に移動し、そこから強力な電磁波を発射して相手のレーダーや通信衛星による誘導を不能にする、もって在沖米軍基地や自衛隊基地にむかって飛来する敵軍（中国軍）の誘導ミサイルや戦闘機をコントロール不能に追いこむことを狙っているのである。

電波収集用の空中線を装備した電子戦部隊の「電子戦装置Ⅲ型」車両（敵軍の出す電磁波を探知収集し、それを妨害する）

世界で最初の「ハイブリッド戦闘」といわれる一四年のウクライナ侵攻・クリミア併合においてロシア軍は、ウクライナ軍の無線通信を妨害電波で遮断し指揮を不能にしたうえで、サイバー攻撃によって敵兵士の携帯端末機器に偽の指令を送り誘導して待ち伏せ攻撃をしかけ壊滅させた。ロシアとの実質上の軍事同盟を強化する中国は、ロシアのウクライナ侵攻を教訓化して宇宙・サイバー・電子戦を展開する「戦略支援部隊」を創設し（一五年）、「台湾有事」にそなえて中距離誘導ミサイルや空母を展開するとともに、アメリカのインド太平洋軍の指揮系統を機能麻痺させるための電磁波・サイバー攻撃を加える態勢を急速にうち固めつつある。

この中国の策動に対抗して没落帝国主義のバイデン政権は、中国軍を「第一列島線」内に封じこめるために、「第一列島線」上およびその内側に突入する米海兵隊と陸軍の戦闘部隊や地対艦・地対空ミサイル部隊、さらには電子戦部隊を配備するという戦闘配置計画をうちだしている。これに日本の陸自ミサイル部隊とともに陸自の電子戦部隊を組みこもうとしているのだ。

いまや日米両軍は、マルチドメイン（多重領域）型と称する実戦訓練を頻繁に強行している。六〜七月におこなわれた日米合同演習「オリエント・シールド21」において、日本全土の自衛隊基地を使って米陸軍の高機動ロケット砲システム「HIMARS」の実弾演習（矢臼別）や、米陸軍のパトリオット部隊と陸自の地対空ミサイル部隊との迎撃訓練（奄美）を強行したばかりではない。彼らは今回、「新領域」と呼ばれる「サイバー・電磁波」の日米共同訓練をも陸自の伊丹駐屯地を司令部としておこなった。詳細は明らかにされていないが、米軍の対中国戦争作戦計画の一環としての「遠征前進基地作戦（EABO）」構想にもとづいて、米軍MDTF（マルチドメイン・タスクフォース）の指揮のもとに自衛隊の「電子戦部隊」が中国軍部隊を電磁波で攻撃し無力化させたうえで、米陸軍・海兵隊と陸自のミサイル部隊・水陸機動団が共同で中国軍部隊を攻撃するというような訓練をおこなったにちがいない。

いまや、アメリカや中国・ロシアなどの権力者どもは、電磁波やサイバー的手段を駆使した攻撃を、敵をうち負かすための「新しい戦争」として位置づけ、それらの攻撃能力を強化することに狂奔している。米・日―中・露による電子戦部隊の配備競争は、東アジアでの戦争的危機をいっそう高めるものにほかならない。それは、労働者・人民にいっそうの苦難と犠牲を強いるものなのだ。

すべての労働者・人民は、菅政権による日本全国・南西諸島への電子戦部隊の配備を断固阻止しよう！　日米安保同盟の対中国の攻守同盟としての強化に反対してたたかおう！

渡難吉男

日本帝国主義の「経済安全保障戦略」

――米・中激突下の国家的生き残り策――

深水新平

A 「経済安全保障」の呼号

東アジアとりわけ台湾海峡を焦点とするアメリカと中国との軍事的角逐のかつてない激化、これと連動した先端技術・稀少資源などをめぐる両国の争闘戦の白熱化とサプライチェーンの分断、そして米―中・露間の熾烈なサイバー攻撃の応酬と日本をも標的としたそれの激発。――コロナ・パンデミックのただなかで加速度的に進行したこうした世界情勢の激変に驚愕し震撼させられて、菅政権はいま、アメリカ・バイデン政権とのあいだで日米軍事同盟を対中国のグローバルな攻守同盟として強化するという国家意志をかためつつ、「日本の経済安全保障の確立」を声高に叫びたてている。

自民党政権は、すでに安倍時代の二〇二〇年四月に、国家安全保障会議（NSC）のもとにある国家安全保障局（NSS）の内部に「経済安全保障」を担当する「経済班」を創設した。また菅政権発足後の二

○年十二月には、自民党の「新国際秩序創造戦略本部」(座長・甘利明)が、「経済安全保障」を「わが国の独立と生存および繁栄を経済面から確保すること」(傍点は筆者、以下同)と定義し、そのうえで「経済安全保障戦略」の早急な策定と二二年通常国会における「経済安全保障一括推進法」の制定を提言した。

こうした追求を基礎にして菅政権は、今年の六月に閣議決定した「成長戦略実行計画」および「経済財政運営と改革の基本方針(骨太の方針)二〇二一」のなかに、はじめて「経済安全保障」の項目を盛りこんだ。すなわち——

①半導体・ＡＩ(人工知能)・量子技術・５Ｇ(第五世代移動体通信システム)などの最先端のデュアルユース(軍民両用)技術をめぐる米・中間の熾烈な覇権争い。②コロナ・パンデミックと「長期化・構造化」する米・中間対立のもとでの「グローバルなサプライチェーンの脆弱性や国家・地域間の相互依存リスク」の顕在化。③これに対応するための各国による戦略技術・物資の囲い込み合戦の一斉開始。——これらの事態を世界の構造の「非連続的な変化」として捉え、それへの「対応」が急がれるとして、次のように言う。

「このような非連続的な変化に対応し、我が国として自由・民主主義、基本的人権の尊重といった普遍的価値を守り、有志国・パートナーと連携して法の支配に基づく自由で開かれた国際秩序を実現するためには、我が国の経済成長と安全保障を支える戦略技術・物資を特定した上で、技術を適切に守ると同時に、従来とは一線を画する措置を講じ、自律性の確保と優位性の獲得を実現していく必要がある」、と。

軍事・政治のみならず、経済・高度技術の分野においても米・中が激突し、重要物資の供給が途絶するというかつてない情勢のなかで、日本の国家・社会・経済の死活を決する「戦略技術・物資」を、日米安保同盟を基礎としつつアメリカなどと連携しながら確保し防衛することに全力を傾注すべきだ、というのである。

こうした「経済安全保障」政策は、米・中間の経済的・技術的の関係がこれまでの相互依存から相互分断へと劇的に変化し、各国がそれぞれに「戦略技術・物資」をめぐる囲い込みへと転じている現局面において、日本の国家としての「独立と生存および繁栄」を守りぬくためには、対外・対内の経済政策をたんに「経済成長」の観点からではなく「国家安全保障」の観点から位置づけ練りなおさなければならない、という政府・権力者の切迫した危機感に発している。もとよりそれは、先のような軍民技術の分野において中国の台頭を抑えこむためにアメリカ・バイデン政権がうちだしている対中国の「経済安保」政策と・それへの日本の「連携・協力」の強制――四月の日米首脳会談で発表された「米日 CoRe パートナーシップ」(註1)にしめされるそれ――、これに応えるためでもある。

そのようなものとして菅政権による「経済安全保障」の呼号は、米・中激突に震撼させられた日本帝国主義権力者による国家生き残り戦略の練りなおしの追求としての意味をもつ。

B　米・中デカップリングへの対応

いま半導体・AI・5G・量子技術、さらにはレアアースなどの軍民両面にまたがる高度技術および稀少物資をめぐっての米・中間の覇権争いは、一気に熾烈化している。

こうした分野において世界の最先端を走っていると自負してきたアメリカ帝国主義権力者は、経済のグローバライゼーションのなかで中国を「世界の工場」として位置づけ活用しているうちに、このネオ・スターリニスト国家に高度技術を盗みとられキャッチアップを許してしまったことにいまさらながらに気づいて驚愕している。とりわけ、5G・AI・量子暗号通信などの軍事と直結する分野においては、アメリカはいまや中国の後塵を拝しつつある。このことは、グローバライゼーションという名のアメリカナイゼーションの波の中に中国を包みこみ、資本進出や技術移転をつうじて政治経済構造の資本主義化を促進するとともに、これを基礎として政治体制の「民主化」をも促していくというソ連崩壊以後のアメリカの対中国戦略、この戦略が「資本主義を恐れず利用せよ」という鄧小平の遺訓（一九九二年）にもとづくネオ・スターリニスト指導部の「韜光養晦《とうこうようかい》（能力を隠して時を待つ）」式の策略の前に完全に破綻したことを意味する。

まさにこのゆえに、中国の猛追に驚愕したアメリカのトランプ前政権は、５Ｇをはじめとする最先端軍民技術の分野での中国の世界制覇を阻止するために、ファーウェイなどの中国ＩＣＴ企業を狙い撃ちにした禁輸措置を連続的に強行したのだ（註２）。もしも、次世代移動体通信５Ｇの世界標準をファーウェイに掌握され、世界中・アメリカ中をファーウェイ製の基地局やスマートフォンが席巻するならば、アメリカ国家の軍事機密をはじめとするあらゆる重要情報がファーウェイを介して中国政府に吸いとられてしまう。――このような「国家安全保障」上の危機感にもとづいて、トランプ政権は〝ファーウェイ排除〟にのりだしたのである。

トランプの「アメリカ・ファースト主義」を批判し、彼を倒して大統領となったバイデンもまた、「民主主義対専制主義の闘い」なるものをおしだしつつ、高度技術分野での対中国デカップリング（分離）政策を継承している。そのうえでこの政権は、国家安全保障にかかわる四つの産業・技術分野（半導体・ＡＩ・量子技術・医薬品）においてアメリカの優位を獲得・確保するために莫大な財政資金を投じて国家的プロジェクトを実行しようとしているのである。

これにたいして習近平の中国は、対米の報復的な関税引き上げ・禁輸措置を強行するとともに、自国が世界の供給量の七〇％以上のシェアをもつレアアースの供給制限などによって対抗している。習近平政権は、レアアースなどの世界的供給における自国の優越的地位を利用して、突然の供給ストップで相手国を揺さぶり政治的譲歩を迫る、といったやり方をこのかん各国にたいしてくりかえしている。他方で、自国が優位に立つＡＩ・５Ｇ・量子暗号通信などの開発を加速化させるとともに、いまだ台湾・韓国の企業に多くを依存している先端半導体の国産化のために狂奔しているのだ。

　こうしていまや米・中両国は、これまで両国にまたがって形成されてきた高度技術・稀少物資を含む重要産品のサプライチェーンを相互に分断すると同時に、相手の先端技術開発を妨害しながら、それぞれが自前の（同盟国と連携した）技術開発とサプライチェーン再構築に突き進んでいるのである。こんにち進行しているこの事態は、いわば〝経済のグローバル化の逆回し〟とでもいうべきそれであって、いまや、米・中両国が政治的・軍事的には対立しながらも経済的には〝ウィン・ウィン〟の関係を維持する、というこれまでの関係は、急速に過去のものとなりつつあるのだ。

　パンデミック下で加速した米・中関係のこうした劇的な変化に促迫され、バイデン政権による〝中国を排除した新サプライチェーン構築（日本を組みこんだそれ）〟の追求に直面して、軍事的には日米同盟に依存しながらも経済的には中国を最大の生産拠点および市場として位置づけ交流・協力を拡大していく、というこれまでの対外路線からの抜本的な転換を迫られているのが、日本政府・権力者なのである。

C　「二十一世紀の新しい戦争」への驚愕

「経済安全保障」を日本政府・権力者がいま叫びだしたのは、だが、このような米・中双方による経済的なサプライチェーンの分断と再編に彼らが対応を迫られているからだけではない。彼らが、次のような新たな戦争の危機に直面しているからなのだ。

　第一はいうまでもなく、米・中間の軍事的対立の激化、とりわけ台湾をめぐっての攻防の白熱化である。

　台湾そのものを「核心的利益」と宣言し「武力統一」をも辞さない構えで台湾海峡での軍事行動をくりかえしている習近平・中国。これにたいして米・日・豪共同の戦争遂行体制の構築を急ぎながら対中国の軍事演習を英・仏などをも巻きこむかたちで強行しているバイデンのアメリカ。この両国の角逐のもとで、いま台湾海峡は一触即発の戦争的危機に瀕している。

このことは、台湾が半導体のグローバル・サプライチェーンにおいて占める〝唯一無二〟の位置からして、日本のみならず世界中のハイテク企業、いや「デジタル化」を進めるすべての国家と軍隊にとって、その死活にかかわる重大な「リスク」として意識されている。

「行政・経済・社会のデジタル化」の技術的＝物（ハードウエア）的な基盤をなすとともに、最先端ハイテク兵器の開発・製造・補修にも不可欠な先端半導体（回路線幅が一〇ナノメートル以下の微細半導体）、その調達のほぼすべてを、日本の企業だけでなく世界中のハイテク企業は、台湾の一受託製造企業（ファウンドリー）たるTSMC（台湾積体電路製造）に依存しているのだからである（註3）。それゆえに「台湾危機」がひとたび惹起するならば、日本の国家・経済・そして軍隊がただちに〝ショック死状態〟に陥りかねない。このような切迫した危機感に、いま政府・権力者は苛まれているのだ。

彼らがいま戦慄し怖れているのは、このような直接的な軍事衝突だけではない。第二に、インターネット空間をつうじて、アメリカと中国・ロシアとのあいだで激烈に展開されている「サイバー兵器」（コンピュータウイルスや半導体チップに埋めこんだ仕掛け）を使った情報盗みとりと破壊攻撃の応酬・すなわちサイバー戦争、日本をも標的にしてしかけられているこの〝見えない戦争〟に、政府・権力者は震撼させられているのである。

いま中国もロシアも、軍のサイバー部隊や政府ひもつきのハッカー集団を使って、アメリカをはじめとする米・日・欧の諸国にたいして、ハッキングなどの非軍事的手段で機密情報を盗みとり、それにもとづいて軍事システム・行政システム・重要インフラなどを破壊したり、SNS（ソーシャルネットワーキングサービス）でフェイク情報を拡散したりするサイバー攻撃を波状的にしかけている。

二〇二一年のはじめに中国諜報機関直結のハッカー集団がマイクロソフトのシステムに侵入して三万

以上の組織から情報を盗みとる大規模なサイバー攻撃をおこなった、と米・英・EU当局は共同で中国政府を非難した。それに先立つ二〇年十二月には、国防省・国務省などの米政府機関を含む一万八〇〇〇もの組織・企業の情報がハッカー集団に窃取されていたことが発覚し、NSA(国家安全保障局)やFBI(米連邦捜査局)は、これをロシア情報機関の犯行と発表した。これへの制裁としてロシア外交官の国外追放などの措置をバイデンが発表したその直後の二一年五月には、アメリカ最大の石油パイプライン施設がロシア系ハッカー集団のサイバー攻撃を受け、一週間におよぶ操業停止に追いこまれた。これに激怒したバイデンは、プーチンとの直接会談(六月十六日)を設定し、アメリカの「最重要インフラ」のリストを手渡したうえで、それへのサイバー攻撃がおこなわれたばあいにはアメリカは軍事的反撃をも含む報復攻撃をおこなう、と通告した。

そもそもこうしたサイバー攻撃の元祖は、アメリカのNSAやCIA(中央情報局)であり、二〇一〇年に創設された米サイバー軍にほかならない(歴代のサイバー軍司令官はいずれもNSA長官が兼務している)。NSAは、二〇〇九年にイスラエル軍サイバー部隊やモサド(諜報特務庁)と連携して、イランの核燃料濃縮施設の中央制御装置をサイバー攻撃で破壊した。それ以後も執拗にイランの重要インフラにたいするサイバー攻撃を波状的にくりかえし甚大な打撃を与えている。このようなみずからの悪業に頬被りして、中・露のサイバー攻撃を口を極めて非難しているのが、アメリカ権力者なのだ。しかもこうした米諜報機関による情報盗みとりや攪乱・破壊工作は、中・露・イラン・北朝鮮などの敵対国だけでなく、「同盟国」たる日本にたいしても向けられているのである。

〝先進国で最もガードが甘い〟とみなされている日本においては、JAXA(日本宇宙航空研究開発機構)や三菱電機・日立製作所などの防衛産業が、中国軍直属のハッカー集団による攻撃の餌食になって、ミサイルなどの軍事関連情報を盗まれている。

このように米・中・露の各国は、世界中に張りめぐらされたインターネットを使って、相手の機密情報を窃取し重要インフラを破壊するサイバー攻撃を相互にくりひろげている。中国の軍部は、こうしたやり方を「超限戦」(〝これまでの戦争の境界を越える戦争〟の意)などと〝理論化〟さえしている。「戦争以外の戦争で戦争に勝ち、戦場以外の戦場で勝利を奪いとる」と称して。このような中・露の「非軍事の戦争行動」にたいして、アメリカはNSA・CIA主導の謀略的サイバー攻撃と「ファイブアイズ」の諜報同盟(註4)によって対抗し反撃しているのである。

まさにこのようなかたちでいま、現実の軍事衝突へといつ転化するかも知れない米―中・露間のサイバー戦争が、日本をも〝戦場〟にしながら熾烈に展開されている。この「新しい戦争」にたいする日本の対策は決定的に遅れている、このままでは日本国家の「独立と生存」そのものが危殆に瀕する。――このような危機意識を一気に昂じさせているのが、政府・権力者なのである。

D 「デジタル革命」の基盤崩壊への危機感

しかも、世界で加速度的に同時進行している「デジタル革命」において、日本は米・中・欧はもとより韓国・台湾などに比しても大きくたち遅れていることが、コロナ・パンデミックへの対応をつうじて暴露された。「デジタル革命」を牽引するプラットフォームやクラウドコンピューティングの分野が、GAFAM(グーグル・アップル・フェイスブック・アマゾン・マイクロソフト)などの米系企業に完全に制圧されているというだけではない。それをハードウエア面で支える半導体の生産においても、日本の産業・企業は、かつての「半導体王国」の見る影もないほどにまで衰退してしまった(一九八〇年代に日本は世界生産量の五〇%のシェアを占めていたが、いまや一〇%以下にまで低下した)。このことに彼らは、日本帝国主義経済の〝沈没〟の危機を感じとって焦りに駆られているのだ。

一九八〇年代に「半導体王国」をつくりだしたような「技術立国」路線は、アメリカ帝国主義の強圧(「日米半導体協定」に象徴されるもの)によってたたきつぶされた。ソ連邦崩壊後に世界を席巻したアメリカ発のグローバライゼーション、その波濤にのっかって強行された日本経済・社会の新自由主義的構造改革が促進したものは、安価な労働力と資源を求めての国内製造業の海外流出であり、独占体による大リストラと非正規雇用労働者の増大と使い捨て、そして絶えまない賃金切り下げであった。これらの結果としてもたらされたのが、日本製造業の技術的基盤の崩壊であり、これを一因とする世界的な「デジタル革命」へのたち遅れ、そして人民の貧窮化と・その帰結としての少子高齢化にほかならない。――これらによって日本帝国主義経済の没落は決定的なものとなり、先進諸国中の劣等国の位置にまで転落した。

この三十年間――いわゆる「失われた三十年」――をつうじて没落の急坂を滑り落ちてきた日本帝国主義の、その最後の生き残りのための起死回生策として菅政権がうちだしたのが、「デジタル化」と「脱炭素化」によって産業構造の大転換をはかるという新「成長戦略」にほかならない。だが、この日本帝国主義の起死回生を賭けた「デジタルとグリーン」成長戦略の、その物的＝技術的前提そのものが、いまや米・中の激突のなかで一瞬にしてふきとびかねない。このような切迫した危機感に駆られて日本政府・権力者は、「経済安全保障」をいま声高に叫びだしているのである。

E 日本帝国主義の存亡を賭けた「経済安保戦略」

いま政府・権力者が策定しつつある「経済安全保障戦略」とは、おおよそ次のような諸モメントからなる(自民党「新国際秩序創造戦略本部」の提言などより)。――

(一) 日本の経済成長と国家安全保障の両面にま

たがって死活的な役割をはたす「戦略技術・物資」、たとえば半導体やレアアースなどについてのサプライチェーンを再編し確保し守りぬくこと。これらの物資の調達先や生産拠点が中国や台湾などに多くを依存していることから来る「地政学的リスク」、また供給元が特定地域に集中しているがゆえの災害・気候変動・パンデミックなどにたいする「脆弱性」などを勘案して、調達先＝供給元を分散化したり多元化したり、国内での調達率を高めたりして、国際環境の激変からの影響を可能なかぎり〝最小化〟すること。このようなことを、彼らは「戦略的自律性の確保」あるいは「サプライチェーンの強靱化」と呼んでいる。――こうした観点からいま政府は、先端半導体製造拠点の国内誘致や車載用大容量電池の中国依存度の低減をはかっている。

(二) どの国にとっても戦略的に重要な特定産品(半製品・部品・原材料を含む)、そのグローバルなサプライチェーンのなかで、自国の産業・企業がその〝急所〟をなす部門で独占的あるいは優越的な地位を占めていて他国で代替困難であるようなばあいに、これらの企業の独占性・優越性を保持し強化する国策を採ること。それとともに、それを他国にたいする外交上・経済競争上での国益貫徹の手段として活用すること。――たとえば、戦時徴用工問題で日本企業に賠償金支払いを命じた韓国の大法院判決への報復として、日本政府がフォトレジスト(感光剤)などの半導体製造に不可欠な材料の対韓輸出規制を強行したこと(二〇一九年七月)が、これにあたる。こうしたグローバル・サプライチェーン上の独占的・優越的な地位の確保を、彼らは、「戦略的不可欠性の確立」とか「優位性の獲得」とかと呼んでいる。

(三) 中国・ロシアなどの軍や政府ヒモつきのハッカー組織による大規模なサイバー攻撃(情報盗みとりやシステム破壊)。これから日本の政府・軍・行政機関や大企業を防衛するとともに、外国のデジタル・プラットフォーム企業やクラウド企業(ここにはアメリカのGAFAMも含まれる)などによる日本のビッグデータの総取り＝囲い込みや、それらをパイプとしての外国政府・諜報機関(ここにはアメリカNSAも含まれる）による「機微情報」の盗みとりなどにたいしても一定の防御的措置をとる、すなわち「サイバーセキュリティ」の飛躍的強化をはかること。あるいは一定の「サイバー反撃」の手段を講じること。

「経済安全保障」政策として政府・権力者が採ろうとしているのは、以上のようなことである。

このような「経済安全保障」政策において、〝日本の国益を脅かす国〟として想定されているのは中国・ロシアや北朝鮮だけではない。「同盟国」であるアメリカによる対日工作やデータの総取りもまた、〝防御〟の対象とみなされているのだ。

自民党「戦略本部」の座長であり、「経済安保の第一人者」を自任する甘利明は、中国による情報・技術の盗みとりへの危機感を吐露すると同時に、次のように付け足すことを忘れない。——「中国だけがデータや技術を取ろうとしているのではなく、同盟国の米国も同じようなことをしている。……同じ自由主義陣営であっても相手に情報を握られてしまうのは、国際デジタル秩序の担い手でなくなるということだ」（『週刊東洋経済』二一年六月二十六日号）、と。

甘利にとっての「経済安全保障」とは、〝主敵〟たる中国から情報や技術を防衛するだけでなく、アメリカを先頭とする「同盟国」にたいしても——たとえ国際諜報戦では米軍やNSAに多くを依存しているのだとしても——自国の「機微情報」や「先端技術」の〝最後の一線〟だけは守りたい、ということでもあるのだ。甘利ら現在の自民党政治エリートの主流が語る「経済安保」とは、このように対中防衛のみならず、同時にアメリカにたいしても一定の「戦略的自律性」を確保するということを含意している。安倍晋三・麻生太郎・甘利のいわゆる「3A」を頭に頂いて二一年五月に発足した自民党の「半導体戦略推進議員連盟」は、バイデンの対中「経済安保」の強硬策に歩調をあわせつつも、同時に〝過度の対米情報従属〟にたいしても警戒心を抱き日本の「独立性＝自律性」に相対的に重きを置く部分が中心になっている、と思われる。〔「経済安保」を掲げたこの「3A」の動きは、次期総裁選をめぐる党内抗争という観点からすれば、菅政権誕生を後押しした二階俊博にたいする安倍らの政治的巻き返しとしての意味をももっているのであるが、この点は今は措く。」

F　対米情報従属の軛――「属国」の悲哀

これまで日本政府・権力者は、日米軍事同盟の鎖にすがりつき、人民の血税を求められるがままにアメリカに献上しながら、「属国」としてつき従ってきた。そうすることによっていまや、中・露などによるサイバー攻撃への完全な無防備を曝けだしているだけでなく、アメリカによってカネだけでなく機密情報もビッグデータも好き放題に吸いとられている。――このことの「国家の独立と生存」にとっての深刻さに今さらながらに気づいて、大慌てでデータ利活用やサイバー空間にかかわる「戦略的自律性の確保」なるものを唱えだしたのが、菅政権と自民党なのだ。だがそれは、あくまでも日米安保の軛のなかでのそれを求めるものでしかない。

米バイデン政権は、この日本権力者を米日同盟の鎖で締めあげ、習近平・中国にたいする政治的・軍事的包囲の先兵として活用するだけでなく、経済的・技術的・サイバー的の対抗においてさらに徹底的に利用しようとしている。

二〇二一年四月の日米首脳会談において、日米両権力者は、「新たな時代の日米グローバル・パートナーシップ」を謳いあげ、日米軍事同盟を対中国のグローバル同盟として強化する意志を全世界に宣明した。それだけでなく両権力者は、世界の経済的＝技術的覇権を奪いとろうとする習近平・中国を抑えこむために、経済や技術の分野においても両国の官・軍・民・学あげての連携・協力を飛躍的に強化することを確認した。「米日競争力・強靱性（CoRe）パートナーシップ」なるものは、そのシンボルである。バイデン政権は、半導体・5G・AI・量子科学技術などの国家安全保障にかかわる「機微技術」の分野で中国に対抗するために、それらの開発と新たなサプライチェーンの構築に日本の政府と企業・

研究機関を動員しその資金と技術力を徹底的に吸いとろうとしているのである。中国の台湾や尖閣列島周辺での軍事的威嚇行動、日本政府・企業へのサイバー攻撃、諸々の禁輸措置などに直面している菅政権は、日米軍事同盟強化と一体のこうしたバイデン政権の要求を〝従順〟に受け入れた。

そもそも二〇一九年の日米安保協議委員会(「2+2」)において日本政府は、日本にたいするサイバー攻撃にたいしては日米安保条約第五条(アメリカの対日防衛義務)を適用して米軍に反撃してもらう、という証文をアメリカ政府からとりつけた。また、「戦略的自律性」を主唱する自民党の「新国際秩序創造戦略本部」にしてからが、その提言において、サイバー攻撃から国を守るために「ファイブアイズへの参画」が必要であると明記してもいる。いうまでもなくファイブアイズへの参加とは、中国・ロシア・北朝鮮などにかんする「機微情報」をアメリカからもらうかわりに、日本中の様ざまな情報・データをNSAをはじめとする米政府・諜報機関に丸ごとさしだすこと以外ではありえない。

まさに「サイバーセキュリティの強化」を叫び、「経済安保の確立」を追求すれば追求するほど、〝対米情報従属〟をより一層深化しないわけにはいかないというジレンマ! これこそは、日米安保の鎖でつながれたアメリカの〝属国〟たる日本の権力者の悲哀いがいの何ものでもない。

地球上のあらゆる部面のみならず、宇宙空間やサイバー空間にまで拡張され、「非軍事の戦争行動」というかたちをとってさえくりひろげられている米―中(露)間の惨たらしい争闘戦。すでに〈プレ戦争状態〉と形容すべきこの争闘戦は、いつ熱核戦争へと発展するかも知れない危険性を日増しに高めている。――帝国主義権力者とネオ・スターリン主義権力者とのこの醜悪で反人民的な攻防のただなかにおいて、日本帝国主義権力者＝菅政権はいま、日米軍事同盟にもとづく対中国戦争遂行体制を構築しつつ、「戦略的自律性」なるものをか細くつぶやきながらも「日米パートナーシップ強化」の名において経済・技術・情報における「属国」化の道を突き進んでいるのだ。

菅政権がいまうちだそうとしている「経済安全保障」戦略なるものは、日本の労働者・人民にたいして、アメリカ主導の対中国戦争への動員と〝対米情報従属〟下でのデジタル強権支配を、そして独占資本生き残りのためのさらなる労働苦と生活困窮を強制するものにほかならない。

（二〇二一年八月十五日）

註1　「米日 CoRe パートナーシップ」文書で強調されているのは、以下のような高度技術分野での相互協力の強化である。①5Gの安全でオープンなネットワークづくり、5Gおよび次世代のそれ（6G）の研究・開発・普及など。②「共通の脅威」に対処するための日米両国の「サイバーセキュリティ能力の構築」および「デジタル連結性パートナーシップ」の強化。③「半導体を含む機微（sensitive）なサプライチェーン」および重要技術の育成・保護。④ゲノム解析などのバイオテクノロジーの発展。⑤量子科学技術分野。なお、「CoRe」とは、競争力 Competitiveness と強靱性 Resilience のそれぞれの頭文字をとったものである。

註2　二〇一八年八月にトランプ政権は、ファーウェイをはじめとする中国ハイテク企業五社・およびこの五社と取引がある全世界の企業からの政府機関の調達を禁止する「国防権限法二〇一九」を制定・施行し、同様の措置を「同盟国」の政府にまでおしつけた。翌一九年五月には、5Gをめぐる世界標準を奪う勢いのファーウェイにたいする事実上の禁輸措置を発動した。当時の国務長官ポンペオは、「ファーウェイの5Gシステムは中国人民解放軍が設計したのだ」と、EU各国政府に〝ファーウェイ排除〟を説得した。

註3　コンピュータやスマートフォンなどの頭脳部を構成し、5GやIoTなどに使われるロジック半導体の性能は回路線幅の微細さに決定される。現在もっとも微細な回路線幅をもつ量産半導体は五ナノメートルとされており、このような五ナノ以下の微細ロジック半導体を量産する能力は、現在のところTSMCしかもっていない。

註4　米・英・加・豪・ニュージーランドのアングロサクソン系＝英語圏五ヵ国による共同諜報体制。第二次大戦後に米英間で結ばれた諜報協定（UKUSA協定）に他の三ヵ国が加入したことによって現在にいたる。かつてはエシュロン・システムで全世界の電話などのアナログ通信を傍受していたが、現在はその〝デジタル発展版〟ともいえるPRISMシステムで世界中のデジタル情報を窃取・収集している。

新型コロナウイルス感染症

医療崩壊を招いた菅政権の自宅療養強制

小倉研一

菅政権によるオリンピック開催強行のゆえに、新型コロナウイルス感染症の患者は増加しつづけ、いま東京をはじめ全国各地で、感染爆発と医療崩壊の危機に見舞われている。菅政権は、みずからの責任に頬被りしたまま「災害級の事態」であり「自分で身を守る段階」などと称して、労働者・人民にたいしてさらなる病苦と困窮の犠牲を強いようとしている。われわれは、これを断じて許すわけにはいかない。

いま、新型コロナウイルスはインド由来の変異ウイルス・デルタ株にほぼ置き換わり、東京都の感染モニタリング指標である新規感染者数、入院患者数、重症患者数、ＰＣＲ検査件数および陽性率、「救急搬送困難事例」(東京独自の指標)の件数は、日々増加の一途をたどっている。「入院・療養等調整中」を含め、自宅療養を余儀なくされている都内の患者は三万五〇〇〇人(一都三県では八万人)を超え、「救急搬送困難事例」(総務省消防庁のまとめ)は昨二〇二〇年同期の二・二倍にのぼっている(二一年八月十九日現在)。

呼吸困難のため入院を必要とする患者でさえほとんどが入院できず、一部の人は酸素濃縮器による酸素吸入を受けながら、自宅での療養を余儀なくされている。しかも、死の危険を感じ救急車を呼んでも搬送先が見つからず、自宅での療養のまま亡くなる患者が相次いでいる。患者が呼吸困難のために意識が薄れがちになりながら救急車を呼んだものの、救急隊が六時間にわたって一〇〇以上の医療機関に問い合わせても搬送先が見つからず、自宅での入院待機（＝自宅療養）を余儀なくされたこともあったと報じられている。都内では、八月はじめの一週間だけで十名以上の患者が自宅で急変し、治療を受けられないまま命を落としている。

このように自宅療養患者が増えつづけている状況において、政府・厚生労働省は、新型コロナウイルス感染者の入院を制限することをうちだした（二一年八月二日）。これまでは肺炎をともなう「中等症」以上に加えて、「軽症」であっても重症化リスクをもつ患者の一部も入院対象としていたのであった。この入院の適用を「重症患者と重症化リスクの高い患者に限る」と変更することを、首相・菅義偉が突如発表したのだ。

政府の新型コロナウイルス感染症対策分科会会長の尾身茂にたいしてさえもまったく相談もなくなされたこの「入院制限」の発表にたいして、現場の医療従事者、自治体関係者、野党のみならず与党の一部からもいっせいに「撤回すべき」との声が吹きあがった。当初菅は、仏頂面をして撤回に応じようとしなかったが、「入院制限反対」の声が高まり内閣支持率も低下するのを目の当たりにして、この方針のなしくずし的修正に走った。菅は、「入院制限」策の撤回も謝罪もいっさい表明することなく、「酸素投与が必要な者」は入院対象となることを認め、「〔入院適用は〕最終的には医師の判断」などと称して、幕引きを図ったのである。

八万人を上回る首都圏の自宅療養者

今日、医療関係者のあいだでは、新型コロナウイルス感染症患者の病状・重症度を把握することの困難さが明らかになっている。この感染症は、ウイルスが引き起こす上気道炎や肺炎にとどまらず、全身に炎症を引き起こす病気（全身性炎症性疾患）であることが明らかにされてきているのである。ウイルス感染が引き金となった生体内の過剰で攪乱された免疫反応が全身の主要臓器の炎症＝臓器障害や血栓症を引き起こすため、たとえ専門家であっても病状の予測は難しい。それゆえ、感染が確認された時点でたとえ「軽症」に見えたとしても自宅療養中に急激に重篤化し死亡する患者が、後を絶たないのだ。たとえ「軽症」に見えたとしても、重症化のリスク因子を有する患者は入院して観察することが欠かせないのであり、保健所職員の一日一回の電話での聞き取りやパルスオキシメーターの値（血中酸素飽和度：SpO_2）だけで病状を把握するのは困難である。医師や看護師らによる日々の診察や看護によってはじめて、病状や重症度、病状の進行具合を把握でき、的確な治療が可能となるのだ。しかも、〝SpO_2が九三％以上あれば大丈夫〟という厚労省などの説明じたいデタラメである。肺炎による酸素欠乏を頻呼吸（呼吸回数を多くすること）によって補っている患者たちは、血液中の酸素濃度をかろうじて維持していたとしても、すでに酸素吸入が必要な病状なのだ。菅政権による「入院対象者は重症者のみ」という方針は、徹頭徹尾反医学的・非人間的で反人民的な施策にほかならない。

今日、首都圏一都三県の一日当たりの感染者数は優に一万人を超え、自宅療養者は「調整中」を含めると八万人を上回っている。「コロナ患者の受けいれ病床を確保せよ」と号令するにすぎない菅政権のもとで、都道府県知事らは日本の医療制度のもとで従来はありえなかった〝荒技〟のような「緊急措置」的診療を、医療労働者に強いようとしている。「酸素ステーション」を設置して患者に一時的に酸素を投与するとか、「抗体カクテル療法」を療養施設内やごく短期の入院や外来で施行するとかである。

菅政権は、都道府県知事にたいして「医療提供体制を整備せよ」と号令し、医療機関経営者にたいしては診療報酬のわずかな一時的な上乗せを〝アメ〟にして〝コロナ患者を診療するように〟利益誘導をおこなっている。そして、「コロナ患者を診察していない医療従事者」たちがもっと協力してコロナ患者を往診したり入院させたりすべきであるなどともキャンペーンしている。

だが、コロナ患者の診療に追われている医療労働者たちと同様に、感染者の入院診療に直接たずさわっていない医療労働者たちも、いま身心ともに疲労の極に達しているのだ。この一年半、発熱外来・PCR検査・ワクチン接種・一般診療・救急外来などに、みずからも感染する危険にさらされながら奔走してきたのが多くの医療労働者たちである。彼らにたいして「もっとコロナとたたかうために働け！」と鞭打っているのが反動菅政権なのだ。

この菅政権じしんが、独占資本支援と己れの政権の延命のために「GoToキャンペーン」をやりつづけ、五輪を強行して、感染拡大を招いてきたのではないか。また、国公立病院を統廃合し感染症病床を削減してきた自民党を中心とする歴代政権も、今日の「病床逼迫」をもたらした犯罪者どもなのだ。「自助」をもっぱら強調し国家財政からの社会保障費支出を削減してきたみずからの犯罪を居直り「病床の確保を」などと菅が言うのは、盗人猛々しいではないか！

そればかりか、「〔ロックダウンなどの強い感染防止策は〕現行法制ではとれない」ことをおしだしつつ、「緊急事態条項」を盛りこむ憲法改悪に突き進むことをも狙っているのが、極反動菅政権なのだ。

われわれは、菅日本型ネオ・ファシズム政権による新型コロナウイルス感染症対策の反人民性を暴露し、菅政権の打倒をめざして、全国の労働者・学生と連帯してたたかうのでなければならない。

（二〇二一年八月十九日）

〔本誌掲載の関連論文〕

・感染爆発・医療崩壊下で東京五輪開催に突進する菅政権を打倒せよ　（第三二一四号）
・菅政権による東京五輪開催・「ワクチン加速」の反人民性　薬師寺京子　（同）
・菅政権の社会保障制度改悪を許すな　上坂あゆみ　（同）

「オリ・パラ教育」という名の愛国心教育

芙山梗丞

二〇二一年七月九日、東京都教育委員会は、学校現場にゴリ押ししてきた「オリンピック・パラリンピック学校連携観戦プログラム（学校観戦）」の実施を最終的に断念した。（東京都とともに、オリンピック競技場が「無観客」となった埼玉、千葉、神奈川の三県も、「学校観戦」を中止するであろう。）

そもそも東京都内八一万人（競技会場のある自治体や東日本大震災の被災地自治体など全国で一二八万人）の幼稚園児、小中高生、特別支援学校生などを根こそぎオリ・パラ観戦に動員するというこの計画を、感染拡大のなかで実施することは狂気の沙汰というほかないものであった。すでに六月には目黒区の小学校で四十七人（児童四十人、教職員七人）の集団感染が発表されるなど、東京都内で複数の大規模感染が発生していたにもかかわらず、「オリンピック・パラリンピック教育の集大成」と称して愛国心教育の大規模な〝実地教育〟の場と位置づけてきたこの「学校観戦」の実施に固執しつづけたのが菅政権・文部科学省と各地の教育委員会である。だが、「学校観戦」中止を求める教職員の闘いと、それに鼓舞された保護者らの反対の声に包囲され追いこまれた菅政権は、みずから招き寄せた人災である第五波の感染拡大にも見舞われ、東京都などでの「学校観戦」を中止としたのだ。

だが、反動菅政権・文科省は、「新しい日常に対応したオリ・パラ教育」と称して、リモートでの観戦や体験学習などをつうじて、児童生徒に諸外国選手と競い合う日本の選手を応援させ「日の丸・君が代」にアイデンティティを見いだす〝日本人意識〟を涵養することを狙っているのだ。しかも彼らは、大会後もオリ・パラ教育を「長く長く教育活動として発展」させるなどと叫んでいる。「アメリカとともに戦争をやる国」ニッポンのために命を投げだす愛国心の注入、その基盤をなすナショナルな意識をうえつける契機としてオリ・パラ東京大会を徹底的に活用しようとしているのが、菅日本型ネオ・ファシズム政権なのだ。

このかん、わがたたかう教育労働者は、都内各地で教組本部を突き上げ、組合を主体として各区市町村教育委員会(地教委)にたいして「学校観戦中止」を要求してきた。そうすることによって、次々と地教委に「観戦辞退」を表明させてきたのだ。

新型コロナ感染の危険を学校現場に強制

都教委は昨二〇年末から今春にかけて、各学校の「観戦種目」「観戦会場」「日時」「観戦引率の留意点」などを各学校に通知してきた。だが、これらの通知で示された競技場施設の感染対策の状況や児童生徒の移動ルート、諸々の注意点などは六月になってもなお不明な点だらけであり学校現場は大混乱となっていたのだ。都教委が現場の教員の意見をまったく聞くことなく一部の管理職との調整だけをもって・トップダウンで観戦計画を通知してきたからである。

そもそも都教委は、新型コロナパンデミックが発生する前の一八年にうちだした指示の多くを、現場の声を無視抹殺して最後まで改めようとはしなかったのだ。たとえば、「学校観戦」を遠足や修学旅行と同じく「学校行事」とし、児童生徒の参加と教員の引率を義務づけた。この方針を、感染拡大で不参加を希望する子どもや保護者が激増している今年七月になっても基本的に改めず、最後まで授業と同等の「学校行事」としつづけたのだ（抗議の声の高まりに、不参加者を「欠席扱い」にすることだけはとりやめた）。一六年度いらい鳴り物入りで推進してきた「オリンピック・パラリンピック教育」の「集大成」だというのがその理由である。

　しかも、「会場までの子どもたちの移動は公共交通機関を利用する」「学校からバスを配車しての移動は特別支援学校などを除いて認めない」という、現在では感染拡大や事故の危険をもたらすものとしかいえない指示もまったく変えてはいない。「食事は禁止、飲み物は持参のペットボトルか水筒（七五〇ミリリットル以下に限定）のいずれか一本のみとする」という、子どもたちの健康・安全を無視した指示も維持されたままであった。

聖火リレーの応援に動員され日の丸の小旗を振らされる中学生（21年５月７日、長崎県南島原市）

　三密回避のためと称して新たにうちだした方針も「集合については、一般客との接触を回避するために、直接会場前に集合させず学校又は学校の最寄り駅で集合し、会場まで引率する。帰りは逆コースとする」「最寄りではなく競技場の一駅前の駅から徒歩移動する」「観戦時間等については、競技開始後の指定された時間に入場し、競技終了前に退席する。パラリンピックについては無音を条件とし声を出さないように指導する」といった無理難題ばかりで子どもにも教職員にも重負担を強いるものばかりであった。

　しかも観戦時間帯は午前、午後、夕方（中高生のみ）に分けられており、午前の部の場合、「食事禁止」の条件を守るためには、早朝に子どもたちを学校に集合させ昼食前までに学校に帰らなければならない。これでは点呼やトイレの時間などを確保することもできない。都内からでも往復四時間は確保しなければならず、観戦時間がたったの二十分になる場合も多数ある。だが都教委は、「雰囲気を味わうことに意義がある」などと意にも介そうとしなかった。

いうまでもなく何十人、何百人の子どもたち、とくに小学生を電車など公共交通機関で引率することは、感染、熱中症、そして迷子、事故などの危険性を極めて高めるとともに、人員不足のもとほんの数名で引率業務をおこなう教職員には過度の緊張を強制し疲労困憊に追いこむものにほかならない。しかも参加人数によっては、教職員は三日連続の引率業務となる。たとえば、一日目（小学一年生と六年生）、二日目（二年生と五年生）、三日目（三年生と四年生）という具合である。土日の観戦も組みこまれており、炎天下の屋外で休日なしの連続勤務となる場合もある。あまりの過酷な業務計画に怒った教員からの「観戦当日に有給休暇はとれるのか」との抗議に、校長が「これは業務命令です」と恫喝をもってこたえた学校もあるという。言語道断である。まさに戦時動員ばりに、強権的に学校観戦行事を強行しようとしていたのが政府・文科省とそれに指示された都教委、そして各校の管理職たちなのだ。

たたかう教育労働者を先頭にして教組各支部は怒りに燃えて「観戦参加中止」を地教委に強力に申し入れた。「電車移動で感染者が出たら誰が責任を取るのか」「熱中症、移動途中のトイレなど予測できない事態の発生に対応できない」「引率教員がまったく足りない」「教委は即時中止の判断をせよ」と。この闘いに鼓舞された保護者からも「参加を辞退すべき」の声が巻き起こった。こうした闘いによって、七月初旬までに都内六十二の区市町村のうち三十六もの地教委が次々と「観戦辞退」を発表していたのである。

愛国心涵養のための「観戦」に固執しつづけた菅政権

現在、学校現場では、新学習指導要領にもとづく「道徳」や小学校「英語」の教科化による授業時数増に加えて、「GIGAスクール構想」の前倒しによる一人一台のタブレットの配布（小・中学校）などが実施されている。この授業時数増、ICT（情報通信技術）教育の実施、それにともなう研修増、さらに感染対策などによって「働き方改革・業務削減」どころかこれまで以上の超長時間労働と労働強化が強いられている。このうえ七・八月に二〜三日間連続の「オリ・パラ学校観戦」引率を強制しようとしてきたのが菅政権にほかならない。

文科省や都教委が児童生徒の「オリ・パラ学校観戦」=子どもたちの動員に固執しつづけたのは、九月衆議院解散=総選挙に向けて支持率回復のために「オリ・パラ」強行実施に突進してきた首相・菅義偉が「人類がコロナに勝利した証」として有観客大会の実施にこだわり、学校を総動員することを策したからである。

そして、菅はパンデミック恐慌の打開のための「経済効果」を期待している。巨額の放映権料が入る国際オリンピック委員会や大会スポンサーであるトヨタやNTTなどの独占資本に利益をもたらすために、国民をあげて大会を盛大に実現することに執着しているのが菅政権なのである。

核心的なことは、政府・文科省と都教委が、子どもたちに「愛国心」と「国際感覚」を付与するための「オリンピック・パラリンピック教育の集大成」として「学校観戦」を位置づけていることである。

文科省とそれに指示された都教委は「オリ・パラ教育」において育成すべき五つの重点資質として「ボランティアマインド」「障害者理解」「スポーツ志向」「豊かな国際感覚」、そして「日本人としての自覚と誇り」をくりかえし強調してきた。政府・文科省や都教委は、一七年に発表した「新学習指導要領」でうちだしている「我が国と郷土を愛する」精神や「豊かな国際感覚」を育成するための実地教育の最高の機会として「オリンピック・パラリンピック教育」を位置づけているのだ。この愛国心涵養のための「オリ・パラ教育」は、同じく新指導要領でうちだされた「ICT教育」の官民あげての推進とともに、安倍前政権や菅政権が進めてきた教育改革の車の両輪をなしているものであって、「オリ・パラ学校観戦」は政府・文科省によるネオ・ファシズム的教育再編にとって至上命題というべきものなのだ。

「オリ・パラ教育」には、「日本の伝統文化」「日本と各国の国旗と国歌」の学習とともに、オリンピック選手との交流や講演、期間中の会場案内、清掃活動などのボランティア活動、そして観戦行事が組みこまれており、実体験をもって「日本人としての誇りと自覚」をもたせ、愛国心、国際感覚、公共精神を兼ね備えた、日本国家や企業に貢献する〝グローバル人材〟の育成の基礎をつくることが目指されているものといえる。「すべての子供が大会に関わる」こと・この〝国家行事〟に参加し貢献することをつうじて、国家公民としての自覚を育むとともに「ボランティアマインド」と言い換えられた国家・社会への奉仕の精神を修得させること、そして競技にじかに触れ熱狂と感動のもとに日本選手団を応援することで国家への帰属意識を高めるために、東京でのオリ・パラ大会を最大限活用しようとしているのだ。そして「子供たち一人一人に、人生の糧となるかけがえのないレガシーを残していく」、すなわちすべての子どもたちの精神にナショナリズムの心棒を入れていくことが「オリ・パラ教育」・なかんずくその「集大成」たる「学校観戦」の目的なのだ。

そのために東京都は、チケット代や人件費を含めて四一億円もの公費を支出している。感染対策のための学校スタッフや教職員が不足していることなどには目もくれずにである。

「オリ・パラ教育」の推進に反対しよう！

東京オリンピックには大会関係者を含めて一〇万人以上が来日し、競技場や関連施設などに頻繁に出入りすることとなっている。労働者・人民に感染拡大をもたらすオリンピック・パラリンピックを強行する菅政権をいまこそ打ち倒せ！　感染拡大によっていま、医療労働者に大きな犠牲が強いられ、サービス業などで解雇、雇い止め、倒産が激増している。いまこそたたかう教育労働者はすべての労働者と団結し、東京オリンピック・パラリンピックを即時中止させるために奮闘しよう！　労働者・人民に犠牲を強制する菅政権を許すな！　すべての教育労働者は「オリ・パラ教育」という名の愛国心教育に反対しよう！

ＪＰ労組第十四回全国大会
郵政労働者を生産性向上に駆りたてる「事業ビジョン案」採択弾劾！

島津郷代

　ＪＰ労組第十四回全国大会が、二〇二一年六月十六日から十七日にかけて、岩手県の産業文化センターにおいて開催された。

　郵政経営陣が今年五月にうちだした三万五〇〇〇人もの人員削減をはじめとする新「中期経営計画」。これに全面的に呼応した内容の「ＪＰ労組が考える事業ビジョン（案）」（以下、「事業ビジョン案」）採決を今大会の実質上の中心議題に位置づけ、コロナ感染拡大のなかであえて対面方式で今大会を開催することにこだわったのがＪＰ労組本部労働貴族どもだ。彼らは、本大会を「事業構造改革」に組合員を駆りたてていくための決起集会たらしめようとしたのだ。

　今大会にむけてわが郵政戦線の革命的・戦闘的労働者たちは、「事業ビジョン案」の反労働者性を満天下に暴きだし、「事業ビジョン案」を主軸とする大会議案を否決したたかう方針を確立すべきことを訴える紙の弾丸を全国の郵政職場にくまなくブチコンできた。そしてこれをも活用し、職場生産点から闘いをつくりだしてきた。職場では、郵政経営陣とこれに追従するＪＰ労組本部にたいする組合員の怒り・批判が渦巻いているのだ。

このようなわが仲間たちの闘いにゆさぶられ、大会討論においては、各地本代表の代議員から大会議案にたいする疑問・反発や意見が次々と表明された。そして、電子投票での運動方針にたいする一票投票では、参加者のメールアドレスをあらかじめ登録させるという本部の姑息な官僚統制の強化にもかかわらず、三月の十三回大会を上回る六十八票の反対票が投じられたのだ。

新委員長に就任した石川幸徳は、「新たな運動創造に向けたセカンドステージへと踏み出す」と居直り、「事業構造改革」のために経営陣との労使協議に突進していく姿勢を露わにした。

すべての郵政労働者のみなさん！　経営陣の大合理化攻撃を受け入れ、組合員を生産性向上に駆りたてる「事業ビジョン案」の採択を怒りをもって弾劾しよう！　全国の職場から、「事業構造改革」のための労使協議に突進する本部にたいする反撃の闘いを創りだせ！　ＪＰ労組の戦闘的再生をかちとるために決意も新たにたたかおうではないか！

大量人員削減を容認する本部に疑問・反発が噴出

本部は「事業ビジョン案」において、「経営改善」と称して、郵便・物流事業における「フレキシブルな集配体制の構築」や郵便局窓口における「他社・他事業・官公庁とのコラボレーション」などを提言している。このような「事業ビジョン案」は、新「中期経営計画」にもとづく大幅人員削減を容認し、郵政労働者を生産性向上に駆りたてる反労働者的なしろもの以外の何ものでもない。

大会では、経営陣にたいする怒りやこれに全面協力する本部にたいする疑問・反発が噴出した。大幅人員削減をうちだした経営陣にたいしては、「労働者のみに無理や我慢を強いている。会社は経営責任を果たすべき」(関東)、「人員削減が一人歩きしている」（信越・東京）、「AIが私たちにとって代わり、雇用や処遇は守れるのか」（東海）、「機動的な要員配置はエリアマネジメント局長に適用されるべき」（近畿）などの怒りの意見が表明された。

本部が提案した「事業ビジョン案」にたいしても、「本部がめざすイメージと現場実態の乖離が大きすぎる」（南関東）、「現場の声をどこまで汲んでくれるのか」（東海）、「組合員の幅広い意見反映が不可欠」（北陸）、「本部と現場に温度差」（近畿）、「組合員とのギャップの解消を」（北海道）などの意見が出された。また本部にたいして、「組合員を置き去りにしない議論を」（南関東）と迫る意見も出された。

こうした代議員にたいして、〝「事業ビジョン案」は組合員の雇用・労働条件にたいする不安を受けとめてたどり着いた提案〟などという見え透いたお為ごかしを並べたてながら、「事業ビジョン案」の必要性をクドクドと〝説教〟したのが本部だ。しかも彼らは、解雇や超勤手当削減などにたいする組合員の不安や反発を「後ろ向きな保守的感情」などと烙印し、会社当局にたいする経営責任追及を「教条的」と断罪したのだ。このような言辞に、組合員から浮きあがり経営陣の飼い犬と化している本部労働貴族どもの反労働者性が露骨に示されているではないか。

彼らは、現在の日本郵政グループの現状を「これまでとは次元の異なる極めて厳しい状況にある」と叫びたてた。そして「どのようにグループの持続性を確保するのか、成長軌道を描くのか」と称して、グループ会社の「経営改善」をはかるための新「中期経営計画」の実現にむけ労組側から協力していくための具体的な見解・プランをあげつらった。

郵政経営陣は、デジタル化や不動産事業・新規ビジネスの推進に二兆円もの投資をおこない、その財源確保のために大量人員削減の犠牲を郵政労働者に強要しようとしている。経営陣の下僕になり下がり、「守るための挑戦」などと詭弁を弄して労働組合の側から大合理化攻撃に協力し、組合員に犠牲の受け入れを強要しているのが本部労働貴族なのだ。われわれは、「事業ビジョン案」の反労働者性を満天下に暴きだし、大量首切り・大合理化をうち砕く闘いをまきおこそうではないか。

「土曜休配・送達日数の見直し」計画策定に怒り

経営陣は、十月からの「土曜休配」や二二年一月からの「送達日数の見直し」によって大量の人員を削減し、年間約六〇〇億円のコスト削減をはかろうとしている。今職場では、「土曜休配」による「曜日別配置計画」や、「送達日数の見直し」にともなう「通常郵便物の深夜・早朝帯から昼間帯への移行計画」の策定がなされている。それにともない、深夜帯業務を廃止し、その時間帯に働いていた労働者を昼間帯に移行させせようとしている。すでに六月からは、会社当局による非正規雇用社員への「意向確認」も実施されている。

「土曜休配」にむけて会社当局が示した「曜日別配置計画」の必要人員数は、各班とも一、二名の欠員状態が当たり前の現行人員とされ、各職場では計画策定や要員確保に四苦八苦している。

人員不足のもとで、支社から要員配置計画の策定・労働強化を強いられている組合員からの怒りの突きあげを受けた各代議員からは、「制度改正の全体像、自局の全体像が見えない」(東北)、「労働力不足解決にむけた交渉強化」(東京)、「支社が算出した必要人数に満たない職場がある」(東海)、「要員不足解消につながるのか」(九州)などの会社計画にたいする疑問や反発が噴出した。

「送達日数の見直し」にともなう「深夜・早朝帯から昼間帯への移行計画」にたいしても、「雇用確保を最優先とし、昼間帯に移行する組合員の収入減少分にたいする現給保障を」(東北)、「意向確認にむけた諸条件の整理にむけた交渉強化を求める」(東京)などの意見が出された。

だが、こうした意見を無視し、経営陣との労使協議で練りあげたプランを明らかにしたのが本部である。本部は、「土曜休配」で会社当局が示した「曜日別配置計画」の必要人員数を「現場実態に即した要員配置」ともちあげ、会社当局が策定した計画を容認したのだ。

しかも本部は代議員にむかって、「物流分野でのさらなる高みへチャレンジする」とか「集配体制の見直しや大商圏での戦略的要員配置」は「事業の持続的発展に不可欠」だとほざいた。本部が経営陣とともに、デジタル化・集配体制の見直しなどによる人員削減を実施し、過剰とみなした労働者を荷物分野などに配置転換していく合理化諸施策を練りあげているのだ。

「送達日数の見直し」にたいして本部は、経営陣との「雇い止めはおこなわない」という労使確認を振りかざして、「意向確認の運用に誤りがないか、送達日数の繰り下げが実現可能かの労使協議を進める」と答弁した。

だが、実際には各職場において次のような事態がうみだされている。会社当局は、四月に実施した「アンケート」において深夜勤存続希望者が約七割に達し（現実はもっと高い）、昼間帯勤務者を確保できないことを突きつけられた。それゆえに会社当局は、十一月に深夜・早朝勤務者を対象にして「意向確認」を実施することを新たに本部と合意し、非正規雇用社員にたいして昼間帯勤務の受け入れを強要しようとしているのだ。多くの深夜・早朝勤務者は、新たな雇用・生活不安を解消できる深夜勤勤務先がなければ〝自主退職〟を選択するか、年間五〇万円もの減収を強いられる昼間帯勤務を選択せざるをえない状況に追いこまれているのだ。にもかかわらず、本部・地本は何らの交渉にものりださないのだ。

本部は、深夜・早朝勤務者の雇用・生活不安には一顧だにせず、二二年一月からの「送達日数見直し」をスムースに実現することだけを心配しているのだ。

われわれは、本部の裏切りを弾劾し、正規・非正規雇用労働者がともに団結し、「土曜休配」「送達日数見直し」による首切り＝雇い止め・配転・労働強化の攻撃を断固粉砕しよう！

労使一体による「新しいかんぽ営業体制の構築」の強行を許すな！

郵政経営陣は、二月に示した「新しいかんぽ営業体制の構築」の施策を強行実施しようしている。経営陣は、①コンサルタント（旧渉外営業社員）の保険専担化、②コンサルタントなどのかんぽ生命への兼務出向、③活動拠点の集約（二〇六一局→六二三局）、④金融窓口社員の業務・働き方の見直し・変更を柱にした営業体制――これらを十月から実施しようとしている。

大会ではこれにたいして代議員の発言が相次いだ。「多くの組合員はこのかんの処分に納得していない。施策に疑問を感じている」（東北・近畿）、「兼務出向は片道切符ではないか」（信越）、「コンサルタント社員の将来を見いだせない。切り捨てられるのではないか」（中国）、「活動拠点集約で通勤困難になる組合員がある」（北海道・東北）等々と。

これにたいして本部は、「生命保険事業を維持するために保有契約数の確保は必須」「新規契約を確保できなければ将来の保険料収入は減少する」と恫喝し、「兼務出向」は「お客様との関係から必要」と一蹴した。営業体制の見直し・再編によって窓口部門の組合員には人員削減と局外活動強制の労働強化がうち降ろされている。これにたいし本部は「少子高齢化、過疎化による業務量減少を無視できない」として、会社当局による定員減・局外活動大幅増の受け入れを逆に通告したのだ。経営陣が「かんぽ営業問題」を現場労働者にたいする責任転嫁でのりきることを容認してきた本部は、いままた当局と一体となって労働者を「保険契約件数の回復」のための営業活動に積極的に駆りたてていこうとしているのだ。大会会場は「ふざけるな！」という怒りが充満した。

会社別一時金と人事・給与制度改悪を容認する本部方針に批判が続出

本部は今大会に二一春闘の総括を一言も提起しなかった。彼らは、六年連続ベースアップゼロの裏切り妥結にたいする組合員の批判をおそれて議題からはずしたのだ。しかも本部は、大会議案で「会社一律での一時金交渉妥結にこだわれば、下方平準化につながる」と称して、経営陣が迫る会社別一時金交渉につく姿勢を明らかにした。

　これまで一時金にかんしては、郵政四社（日本郵政、日本郵便、ゆうちょ銀行、かんぽ生命）統一の基準で支給されてきた。ところが二一春闘において郵政経営陣は、「会社の業績に応じて会社別に支給したい」と本部にたいして提案してきた。今後、経営環境の悪化を口実にして会社ごとに一時金切り下げに経営陣がのりだしてくることは火を見るよりも明らかではないか。この許しがたい経営陣の提案に、本部は応じる腹構えなのだ。代議員からのベアを求める意見を無視して、賃金・一時金引き上げの賃金闘争を放棄し、経営陣による賃下げ攻撃に呼応しようとしているのが本部労働貴族なのだ。

　これにたいして、「会社別の妥結は受け入れがたい。統一要求を堅持」（東海・四国）、「下方平準化は受け入れがたい」（沖縄）との反対意見が多くの代議員から表明された。

　本部は、「主要四社共通の一時金要求を掲げる」と口先だけで言いつつ、「会社が頑として動かない場合、最も低い水準に合わせるという判断でいいのか」「一度下げたら元に戻すことは困難」などと、「統一要求堅持」や「低位平準化反対」を訴えた代議員をあからさまに恫喝したのだ。本部が経営陣による「会社別一時金交渉」に応じる腹づもりなのは明らかだ。

　それだけではない。「一般職と地域基幹職二級以下の基本給統合」にかんしても、前回大会に続いて反対意見が相次いだ。「下方平準化の回避、不安払拭」（東北・東京）、「低位平準化を不安視する声が多い」（近畿）、「組合員の分断や不団結要素が生まれる」（四国）、「地域基幹職の賃金引き下げに不安の声がでている」（九州）等々。

　このような代議員から出された多くの批判にいっさい答えることなく、本部は、「人事・給与制度や労働力政策のあるべき姿を見いだ」すために「優先順位を見極めながら経営陣との労使協議を進めていく」、などと居なおった。このような本部の対応にこそ、二〇春闘いこう突如この問題を「同一労働同一賃金の実現」などと称してとりあげてきたことのなんたるかがはっきりと示されているではないか。現在の地域基幹職を主体にした大多数の郵政労働者の賃金を一般職と同じ超低賃金に釘づけしようとしているのが経営陣だ。彼らの意をうけ、その先兵としてたちまわっているのが本部にほかならない。

さらに本部は、「業績関連手当などを月例賃金にシフトする道がある」と言い、二二春闘で「シンプルな給与手当体系」と称して業績関連手当の廃止を組合側からもちだそうとしているのだ。また、「同一労働同一賃金の実現」と称して、会社による最高裁判決を口実にした病気休暇、夏期冬期休暇、一月二・三日の祝日給支給などの制度の改悪案までも受け入れようとしている。断じて許すな！

低賃金・生活苦にあえぐ組合員を顧みることなく、二二春闘交渉を「経営改善」のための労使協議に歪めようとする本部を弾劾せよ！　賃金闘争の放棄を断じて許すな！　一律大幅賃上げ獲得！　人事・給与制度改悪や「同一労働同一賃金」の名による手当・休暇制度改悪を阻止しよう！　本部の春闘方針の反労働者性を暴きだし、二二春闘の戦闘的高揚をかちとろう！

職場から菅ネオ・ファシスト政権打倒の闘いを！

菅政権は、みずからの政権延命のために東京五輪の開催を強行し、首都圏・全国に新型コロナ感染を拡大させた。医療体制が崩壊的危機に瀕し、休業補償なき休業・時短強制によって多くの中小・零細企業が閉店・廃業や倒産に追いこまれ、非正規雇用労働者を中心とする百数十万人もの労働者が失業に突き落とされているのだ。にもかかわらず、新型コロナ感染の危険にさらされ困窮する労働者・人民には目もくれず、オリンピック開催を強行した菅政権を断じて許すな！

また菅政権は、アメリカ帝国主義に日米安保の鎖で縛られた「属国」として、アメリカの対中包囲網形成に荷担して対中攻守同盟の強化に突進している。

沖縄をはじめとする南西諸島の対中国最前線基地化に血道をあげ、アメリカによる日本列島への中距離核ミサイル配備の受け入れを画策している。さらに立憲民主党を抱きこんで国民投票法改定を強行し、憲法第九条の破棄と「緊急事態宣言」の創設を柱にした憲法改悪に突き進んでいる。

だが本部は、このような菅政権にたいして大会議案で一言も触れず、何一つ反対の闘いを組織していない。彼らは、組合員を郵政事業の持続的発展のためにのみ二一年秋の衆議院選挙や二二年夏の参議院選挙に引き回しているのだ。コロナ下での労働者・人民切り捨てを許すな！　米軍と一体となった対中国先制攻撃体制づくりを許すな！　菅政権打倒にむけて、本部の衆院選集票運動への引き回しを弾劾し、全国の職場から決起しようではないか！

本部は「JP労組の戦略」と称して「事業ビジョン案」を決定し、組合員にたいしてこれを豊富化せよと号令している。だがそもそも、会社の業務の効率化のための諸施策や収益拡大のための新規事業開拓などを労組が提案すること自体が断じて許しがたいのだ。こうした経営陣や当局者がとるべき事業・要員政策や労務管理政策を提言することを労働組合の運動路線とすることは、労働者に従業員としての意識を植えつけ、労働組合そのものをますます会社に従属させることになるのだ。労働組合は郵政事業の持続的発展のためにのみ役割を果たすことになり、組合員は生産性向上のために使われるのだ。職場にもたらされるものは郵政労働者にたいする重犠牲や労務管理強化である。

たたかう郵政労働者の皆さん！「雇用の確保と労働条件の維持・向上には、会社の成長・発展が必要」と虚偽のイデオロギーを吹聴し、「労使運命共同体」思想におかされ労使協議路線に陥没する本部を弾劾せよ！　経営陣の「中期経営計画」にもとづく郵政大合理化を打ち砕け！　人事・給与制度の改悪を許すな！　郵政労働者の未来をかけて職場から戦闘的闘いを創造し、労働組合組織の戦闘的強化をかちとろう！

郵政三万五千人削減・大合理化攻撃を打ち砕くために闘うぞ！

真中　悟

私は、郵便配達の職場で働いている労働者だ。コロナ・パンデミックのなかで、いま郵便配達の現場では人員が足りず、ケガ人が出たり有給休暇を取ったりすると、たとえば六人で配達している区域を五人で配達しなければならず残業になる。

冬場には臨時にアルバイトを募集するが「3Ｋ職場」には人が集まらない。「3Ｋ」とは、「きつい・汚い・骨折する」という意味であるが、じっさい転倒事故や骨折事故が絶えない。

昨二〇二〇年末に郵便法が改定され、今年の十月から――労働者も利用者も誰も望んでいないのだが――手紙・葉書などの配達を土曜日におこなわなくなる。またたとえば現在、本日午前中にポストに郵便物を投函するとかなりの地域で翌日の配達になるのだが、これがプラス一日くらい配達が遅くなる。

この郵便法の改悪により、許し難いことに日本郵便会社当局は六〇〇億円の経費削減（ほとんどが労働者の人件費だ）と二万人の人員削減と強制的な配置転換を目論んでいるのだ。

これにたいして、労働者を守るはずの労働組合の指導部であるJP労組中央本部は、「リソースシフト」などという言葉を使い、〝人手が足りない職場やこれから増えるかも知れない「ゆうパック」配達部門に人員を移動させ人員不足が解消される〟などとうそぶいている。

地域によって都市部では高層マンションや戸建て住宅建設が進み、配達労働者一人が配達しなければならない箇所数は増加している。また、コロナ下でのいわゆる巣ごもり需要のゆえに、アマゾンなどの注文品やメルカリなどの個人間取引で大きめの郵便物が急増している。このゆえに配達のバイクには一回で積みきれない。これらの郵便物は、家庭のポストに配達することになっているのだが大きすぎてポストに入らず留守の場合には持ち帰り・再配達となる。そのうえこれらの郵便物がいま・どこにあるのかを追跡できるサービス業務のゆえに、郵便物に付いたバーコードを出発前と配達時にデータ入力しなければならず極めて手間がかかる。この結果、残業がどんどん増えるわけだ。

こうした長時間労働や労働強化に怒りを募らせた組合員たちとともに私は、人員を増やすように幾度も会社に要求を出してたたかった。

AIによって常時監視される配達労働者

この人手不足を郵政経営陣はどのようにしようとしているのか。彼ら資本家どもは「テレマティクス」というシステムを導入するために、全国で五万六〇〇〇台ものスマートフォンを四〇〇億円もかけて全郵便配達員に配達中携帯させることにした。このスマートフォンには、「配達コミュニケーション支援ツール」という名のアプリケーションが入っており、これによって配達労働者の行動をリアルタイムで――GPS(全地球測位システム)機能による位置情報や加速度センサーによる運転情報(スピードおよび急発進・急加速など)によって――常時監視し、個々の配達労働者の行動データを蓄積することによってAI(人工知能)に〝分析〟させているのだ。さらに将来的にはこのデータを活用して、ＡＩを使ってその日ごとの配達物数によって配達労働者一人ひとりが配達する地域を調整し（大きくしたり小さくしたり）、また配達物数を予測し月ごとの勤務シフトまで作成し、「配達作業を効率化することで人員不足を解消できる」などと会社当局はほざいている。ふざけるな！

　しかし現実は、配達労働者がどこにいて・どれくらい配達を終えたのかが部長のパソコンや班長などのスマートフォン上にリアルタイムで表示されることのゆえに、配達が遅いとみなされた配達労働者は「要支援」というレッテルを貼られることで〝尻をたたかれ〟焦って配達作業をおこなうことを強要される。それゆえに、昼休みも十数分間程度＝おにぎりを一～二個食べるくらいの時間しか取れずまた配達に行かされるのだ。他方、管理者に〝配達が速い〟と判断された労働者は自分の配達を大急ぎで終え、配達が遅いとみなされた労働者のところへ応援に行かされるのでさらに仕事はきつくなる。それだけでなく配達中に数分間程度でも休息したような場合には即メールで〝報告〟され、帰社すると管理者に呼びだされ厳重注意されるのだ。こうしてすべての労働者は、常時会社当局によって監視＝管理され気を休める間もなくこきつかわれる職場ができあがってしまうのだ。

このようにして配達のしかたそれじたいが、労働者一人ひとりにたいする会社当局による「人事考課」に直結されるだけでなく、低能率とみなされた労働者は〝白い目〟でみられ職場の人間関係がギスギスしたものになり職場に居づらくさせられるのだ。

これこそ、人間が機械を使うのではなく機械が人間を使うと言ったマルクスに習えば、人がAIを使うのではなくAIに人が使われるということではないか！　いま流行りの「デジタルトランスフォーメイション(DX)」なるものは、労働者・人間の生活がより豊かになるというバラ色の話ではまったくないのだ。

日本郵政経営陣は、本年五月に「中期経営計画(JPビジョン2025)」なるものをうちだした。ここにおいて彼ら資本家どもは、三万五〇〇〇人もの人員削減計画を明らかにした。とりわけ日本郵便会社当局は、「土曜休配」・「送達日数見直し」および郵便物流部門のデジタル化をつうじて二万人もの労働者を削減する計画をうちだした。すでに昨年十月には、「新規ビジネス支援室」と「デジタルフォーメイション推進室」を立ち上げた。これは、菅政権がすすめる産業のデジタル化政策に沿ったものである。菅政権と日本の大企業独占体は、デジタル分野で世界各国から完全にたち後れていることに危機感を抱いているがゆえに、行政のデジタル化と経済のデジタル化をおしすすめることに拍車をかけているのだ。

事業改革運動をのりこえ闘おう！

一方、労働者を守る労働組合であるはずのJP労組の中央本部はどのように対応しているのか。彼らは労組としての「事業ビジョン」なるものにおいて「ITなどの新技術のスピード感ある導入」を会社に求め、「さらに活用せよ・生産性を上げよ」などと会社を尻押ししさえしているのだ。JP労組中央本部は、会社の持続的発展のための労使協議路線にどっぷりとつかり、会社経営陣による労働者の労務管理強化と労働強化に全面的に協力するために、事業改革運動の推進を呼号しているのだ。

中央本部役員どもは、許し難いことに組合員の利害などまったく考えていないのだ！　それもそのはずである。現下のコロナパンデミックのなかでＪＰ労組中央本部および地方本部役員どもは、「在宅勤務」と称して組合事務所には週に一～二度顔を出すだけなのだ。彼らはおざなりの感染対策しか施されていない郵便局の現状を視察すらせず、疲弊している組合員の声を聞こうともしない。

また本部労働貴族どもは、会社の支社長や本社・支社の幹部に〝転籍〟しているほどなのだ。会社幹部となった彼らは、郵便局の現場組合員を締め付ければ締め付けるほどますます会社の出世コースを歩くことになるのだ。

他方で彼らはいま、全国大会などの労組機関会議を「リモート開催」にすることによって、組合員が意見を発表する機会すら奪っている始末である。組合員が集まって議論し・下から要求づくりを組織し・この要求実現のために闘争行動を組織していくという労働組合運動の基盤そのものを破壊しているのが本部労働貴族どもにほかならない。まさにこのゆえに、真に組合員のことを考え日々まじめに組合運動にとりくんでいる支部役員などを〝邪魔者〟と感覚し、会社と一緒になって当該組合役員の強制的な「人事異動」に加担しているのが労働貴族どもなのだ。絶対に許すことはできない！

こういう連中だからこそ今春闘においても、組合員の切実な要求である賃金のベースアップと非正規労働者の処遇改善という組合要求にたいする会社経営陣によるゼロ回答をやすやすと丸呑みするのだ。すでに六年連続のベースアップゼロだ、バカ野郎！

私はいま、本部労働貴族どもの〝会社の発展が組合員の幸せにつながる〟などという考えが虚偽のイデオロギーでしかなく、現場の組合員の考えといかにかけ離れているかを暴露し組合員を職場闘争に組織化しつつ・組合組織を戦闘的に強化するために日々たたかっている。郵政資本家どもによる三万五〇〇〇人削減・大合理化攻撃を打ち砕くために、いまこそ労働者の階級的団結を創造しつつ全力を傾けてさらに奮闘する決意である。

全学連大会の成功にふまえ革命的学生運動の大前進を！

日本マルクス主義学生同盟　革マル派

全学連は七月十九日、「五輪警備」の名による厳戒体制を突き破り、「東京五輪反対！」「日米グローバル同盟反対！」「菅政権打倒！」を高だかと掲げて、菅政権の土手っ腹に怒りの巨弾を叩きこんだ。そして同日に全学連第九十一回定期全国大会を断固としてかちとった。

全国結集でたたかったこの7・19闘争と全学連大会の連続的かつ成功的な実現にふまえ、全学連は灼熱の日本各地から今夏の闘いに猛然とうってでよ！第五十九回国際反戦集会をかちとれ！　今こそ、菅

日本型ネオ・ファシズム政権の打倒にむけて全国から総進撃を開始せよ！

全学連大会の革命的意義

全国のたたかう学生が総力を結集し実現した7・19闘争および全学連大会。それは、日本階級闘争において大きな意義をもっている。

日本全土においては、緊急事態宣言のもとで塗炭

「菅政権打倒！」国会に向け進撃する全国結集の全学連（21年７月19日、霞が関）

の苦しみを強いられてきた労働者・学生・人民が菅政権にたいする積もりに積もった怒りを爆発させている。そして、これに直撃されて菅政権は今やダッチロールをくりかえし断末魔の悲鳴をあげているのだ。

だがしかし日本共産党中央指導部は、解散＝総選挙が迫るなかでますます立憲民主党にすりより、「有事の際の安保条約第五条の活用」などという驚くべき右翼的な代案の宣伝に狂奔している。そして、改憲阻止・安保同盟強化反対などの大衆的闘いのいっさいを放棄しているのだ。

菅政権の延命に手を貸しているこうした既成指導部の度しがたい腐敗を弾劾し、全学連のたたかう学生たちは菅政権に断固たる怒りの巨弾を叩きつけたのだ。労働戦線の深部でたたかう戦闘的・革命的労働者と連帯したこの全学連の闘いは、極限的な貧困を強いられ戦争と圧政に呻吟する労働者・学生・人民に闘いへの決起を熱烈によびかける檄となっているのだ。

全学連大会成功の第一の意義は、このかんの全学連の闘いの革命的な意義を確認し、さらなる前進のための橋頭堡を確固としてうちかためたことである。

コロナ・パンデミックから一年四ヵ月。変異したインド株などの蔓延が世界各地にひろがり、政府権力者が都市を封鎖したり緊急事態宣言などを発したりするたびに資本家どもは容赦なく首切り攻撃をふりおろしてきた。このゆえに生きる糧を失った労働者・人民が続出している。いまなおうちつづいているパンデミックのもとでむきだしとなっているのは、すさまじい階級間格差であり、その基底にある階級対立にほかならない。世界各国において、コロナ感染拡大のもとでますます莫大な富を蓄積したIT関連企業をはじめとする独占資本家どもとその政治委員会たる政府は、「経済のデジタル化」の旗をふりながら、労働者をより低賃金・無権利で・使い捨て自由な存在に突き落としている。そして、ネオ・スターリン主義中国においても、党＝国家官僚および企業経営者どもと労働者・人民との格差は一挙的に拡大している。

全学連のたたかう学生は、昨二〇二〇年以降にあらわとなったこうした世界史的激動とその意味するものを的確に分析把握してきた。そして、かかる現実への憤激に燃えて、この日本の地で戦争と貧困の強制と圧政を打ち砕く闘いを、労働者階級・人民の先頭にたっておしすすめてきた。同時に、全世界の労働者・人民、青年・学生たちにむかって、ブルジョア政府と資本家階級を叩きのめす闘いに起ちあがるべきことを、そしてまた人民の上に君臨する中国ネオ・スターリニスト官僚政府をうち倒す闘いに総決起すべきことをよびかけてきたのだ。

全学連大会においては、こうした革命的な闘いの地平にふまえ、さらに進撃する戦闘態勢をも強固に築きあげてきたのである。

大会成功の第二の意義は、全学連が総力でおしすすめてきた反戦反安保闘争、改憲阻止闘争がきりひらいた地平を確認しつつ、さらなる闘いにむけた革命的反戦闘争の指針を確立してきたことである。

コロナ・パンデミックのもとで現代世界はいつ火を噴くかもしれない〈米中冷戦〉へと一挙に急旋回している。感染爆発と経済的破局に直撃され歴史的没落をあらわにしたアメリカ帝国主義から世界の覇者の座を奪うために対米の全面的攻勢にうってでているネオ・スターリン主義国家中国の習近平政権。この中国との「二十一世紀を決定づける戦略的競争」を戦うために対中国のグローバルな包囲網を形成することに狂奔しているバイデンのアメリカ。この米・中は今や全面的に激突している。

こうしたなかで菅政権は、このバイデン政権と日米軍事同盟を対中国のグローバル同盟として強化する策動を血眼になっておしすすめている。

こうした〈米中冷戦〉の熾烈化のゆえに、東アジアや中東でひとたび戦火が噴きあがるならば、それは第三次世界大戦の導火線となるにちがいないのだ。

全学連は、この重大な危機を突破する方向を全世界人民の前に明らかにしつつ、革命的な反戦の闘いを断固として創造してきた。

この画期的な地平にふまえ、たたかう学生は、〈米中冷戦〉下の戦乱勃発の危機を突き破る革命的反戦闘争の炎をさらに赤あかと燃えあがらせるのでなければならない。

日米の対中国グローバル同盟を粉砕せよ！　アメリカとともに戦争をやれる軍事強国への飛躍をかけた憲法改悪を絶対に阻止せよ！

労働者階級・学生の未来は、ひとえにわが日本反スターリン主義運動の双肩にかかっている。すべてのたたかう学生は革命的左翼に課せられた責務の自覚に燃えて、労働者階級と固く連帯して奮闘しなければならない。

日本学生運動の新たな時代をきりひらけ

全学連のすべての学生は、日本学生運動の大道をきりひらくために、さらに奮闘しなければならない。そのために、今春期に全学連のたたかう学生が全国各地でおしすすめてきた反戦反安保闘争およびキャンパスでの教育学園闘争などの意義を確認しようではないか。

まず第一は、〈反戦全学連〉としての真価を存分に発揮して全学連が創造した反戦反安保闘争、改憲阻止闘争、反基地闘争の意義についてである。

全学連のたたかう学生たちは、日米両権力者が二一年四月の首脳会談において「新たな時代における日米グローバル・パートナーシップ」の名のもとに日米安保同盟の飛躍的な強化を宣言したことに断固反対し、この合意にもとづくいっさいの攻撃を打ち砕く闘いにただちにうってでた。全学連のたたかう学生たちは、闘争放棄を決めこむ日共中央を弾劾し、ただちに首都・東京をはじめ全国各地において「日米首脳会談反対!」の闘いに起ちあがった。そして菅政権が日本国軍を動員し、米軍だけではなく英・仏・豪などの軍隊とも実戦さながらの軍事演習を強行したことにたいしても、全学連は全国で実力阻止闘争に決起したのであった(5・15宮崎県・鹿児島県の霧島演習場現地闘争、6・27滋賀県の饗庭野演習場現地闘争、7・1北海道の矢臼別現地闘争)。

菅政権は同時に、こうした日米軍事同盟の強化に見合う内実で「新憲法」を制定するための突進をも開始した。「改憲手続き法」たる国民投票法の制定を強行せんとする菅政権にたいして、たたかう学生たちは連続的に国会前において、そして全国各地において闘いに起ちあがった。日共指導部が立憲民主党との「野党共闘」の維持のために国民投票法改定に手を貸した立民への批判を封印し、「九条改悪反対」さえ後景におしやったことを弾劾し、わが全学連が改憲阻止闘争を文字通り牽引したのである。

これらの闘いにふまえ全学連と反戦青年委員会は、東京などに緊急事態宣言が発令されているもとで初めて労学統一行動を断固として実現し、日本各地において「菅政権打倒!」の火柱を燃えあがらせた(6・13東京・関西、6・20北海道・東海・沖縄)。わが闘いの高揚を恐れる菅政権・警察権力による「五輪警備」に名を借りた闘争破壊策動を木っ端微塵に粉砕し、国会・首相官邸に怒りのデモンストレーションで進撃したのだ。

まさしく今春期、日本全土のあらゆる闘争の最先頭にはつねに必ず全学連の真紅の旗がひるがえった。既成指導部の腐敗をのりこえて創造したこの反戦反安保・改憲阻止の闘いは、人民を塗炭の苦しみに突き落としながら東京五輪の開催に狂奔する菅政権を弾劾する闘いとともに、菅政権に憤る労働者・人民にたいする革命的檄となっているのだ。

　こうした反戦反安保・改憲阻止の闘いを創造するとともに、全学連のたたかう学生は、全国のキャンパスにおいて獅子奮迅の闘いをくりひろげたのであった。このことが第二の意義である。

対当局要請行動に決起した国学院大文連の学生（7月3日）

　見よ！　全国の学園における闘いの圧倒的な前進を！

　早稲田大学においては、緊急事態宣言の発令下でも反戦闘争委員会のたたかう学生がキャンパスを大きく揺るがすかたちで連日情宣活動を展開し・多くの学生たちとの討論をつくりだしつつ、「反菅政権」のうねりを創造してきた。文連執行部を担うたたかう学生たちは、大学当局への要請書の提出のとりくみをつうじて学館閉鎖の解除をかちとり、文連の旗のもとにサークル員たちの団結を強化することを基礎に文化サークル運動の大きな前進をきりひらいた。

　国学院大学においては今春、学生部が各サークル・部会にたいして新たな「サークル更新申請制度」を突如として通告した。それは、「公認取り消し」をふりかざしたり、「更新届」に必要な書類を紐づけしてその提出を強要したりすることによって学生部がサークルの生殺与奪の権を握ることを狙った攻撃にほかならない。これにたいして、自治会・文連の執行部を担うたたかう学生たちは、ただちに全サークルに闘いへの決起をよびかけ、対当局要請行動を大衆的に実現してきたのだ。

　北海道大学においては、学内がオリンピックのマラソンコースとなっていることにともなって強化される自治・サークル活動の規制に反対する運動を農学部学生自治会を主体として大衆的に創造してきた。

　金沢大学のたたかう学生は、憲法改悪や人民を切り捨てながらの東京五輪の開催に反対する情宣活動を学内外においてくりひろげ、自治会を主体にして

「反菅政権」の闘いをつくりだした。

愛知大学においては、二〇〇名の結集のもとに開催した学生大会において「学費の無償化」「憲法改悪反対」などの自治会運動方針を圧倒的多数の賛成で確立した。

関西では、奈良女子大学のたたかう学生は、生活補償なき緊急事態宣言の発令によって学生・労働者を困窮に追いやっている菅政権を弾劾することをよびかける自治会委員長名のアピールを発し、学内から菅政権にたいする闘いをつくりだした。

愛大自治会が対当局要求行動（6月3日）

鹿児島大学のたたかう学生は、九州・南西諸島において強化される日米合同軍事演習や馬毛島への米軍機訓練移転などに反対して連日学内での情宣活動や集会を実現してきた。

コロナ感染が拡大している沖縄においては、たたかう学生たちが琉球大学学生会のもとに学生の団結を創造し、「コロナ対策」を理由とした新歓期のサークル活動規制をはね返すとともに、5・15沖縄平和行進や辺野古現地闘争の戦闘的高揚のために奮闘してきた。

このように、全学連のたたかう学生たちは、コロナ感染が急拡大するもとで大学によっては当局によって学生会館などのサークル施設を再び閉鎖する措置がとられていたような状況下においても、革命的学生運動をなんとしても組織するという情熱に燃えて、反戦闘争や政治経済闘争さらには「自治・サークル活動規制反対」の学生大衆運動を断固として創造してきた。政府・文部科学省の指導のもとにある一部の大学当局者が自治団体・サークルへのしめつけを強化する攻撃をふりおろしてきた大学においては、これを打ち砕く闘いを自治会や文連などの自治団体を主体として断固としてくりひろげてきた。マル学同に指導された全学連のたたかう学生たちは、こうした闘いのただなかで種々のフラクションを創造し、これを基礎として自治会組織・文連組織の戦闘的強化をかちとってきたのだ。そして、コロナ感染拡大のもとで苦しい学生生活を送ってきた多くの一年生や二年生を、こうした自治会運動に結集させてきたのである。

たたかう学生たちは、自治会大衆運動の創造となら んで全学連運動の〝車の両輪〟をなすものとして、各大学において国際問題研究会や社会科学研究会などのサークル活動を革命的に推進してきた。自治会運動およびサークル活動のただなかでたたかう学生たちは、一年生をはじめとする学生たちとのあいだで、「パンデミックとグローバリゼーション」、「パンデミックと米中冷戦」、「パンデミックのなかでむきだしとなる古典的階級分裂と古典的貧困」、「パンデミックとファシズム」などの諸問題をめぐる討論を組織してきた。コロナ・パンデミックのもとで、帝国主義諸国の政府と資本家どもがいっさいの犠牲を労働者・学生に強制していることの階級性と、ネオ・スターリン主義国家中国の北京官僚が労働者・農民工を貧困に突き落とし圧政をしいていることの反プロレタリア性を暴きだしてきたのだ。

わがマル学同に指導された全学連の学生たちは、反スターリン主義の思想を学生諸君のあいだに広く深く浸透させるためのイデオロギー闘争を、新歓期の冒頭からくりひろげた。ソ連邦の崩壊から三十年となるこんにち、反スターリン主義革命的左翼の一翼を担わんとするたたかう学生たちは・なかんずくマル学同の同志たちは、帝国主義の犯罪とともにスターリン主義の虚偽性に目覚め・現代世界を変革することを意志する学生を大量に創造することをめざして、自治会運動およびサークル活動を革命的に推進してきたのである。

すべてのたたかう学生諸君！　今春期の冒頭、全学連のすべての学生たちは革命的学生運動の飛躍を誓いあい、一致団結して闘いにうってでた。全学連の総力をあげてくりひろげてきた今春期の闘いは、コロナ・パンデミックのもとで戦争的危機と貧困の深まりと圧政の嵐に覆われる現代世界のただなかで、まさに光輝を放っているではないか。全国のキャンパスにおいて唯一学生大衆運動を創造している全学連の運動は、困窮を深め、大学当局による自治・サークル活動規制のもとで苦闘する全国の学生に、みずからの進むべき道をさししめす画期的な意義をもっているのだ。

ブクロ派のニセ「全学連」の完全消滅をかちとる

革命的学生運動の怒濤の前進を！

まさに今、学生戦線でひとり意気軒昂とたたかっているのは、わがマル学同に指導された全学連のみである。

見よ！　ブクロ派学生組織の完全崩壊を。昨年十二月の革共同政治集会において同志・常盤哲治が〃予見〃したとおりに、ブクロ派のニセ「全学連」委員長・高原某は脱落した。さらに中執メンバーがごっそり脱落することによって完全に消滅しさったのだ。

三月十日に、まず「全学連」委員長・高原が、ニセ「全学連」からもブクロ派「中央学生組織委員会」からも「マル学同中核派」からも離脱したことをインターネット上で公表した。これにたいして十五日にニセ「全学連」中執が「高原氏による全学連運動の破壊にたいする弾劾声明」なるものを発表した。まさにそれは、帝国主義の新植民地主義的侵略のお先棒を担ぐような「国際開発農学」に進学することを公言してきた高原を、委員長の役職につけておだてあげてきたことの当然の報いなのである。

これ以降、ブクロ派は「全学連」委員長を新たに選出することもできず、「全学連」のホームページ上の「中執メンバー紹介コーナー」に名前があるのは、広島大学の学生たった一人というありさまである。官僚＝手配師たちが、ゲーム三昧・ロリコン三昧を許すことによって「前進社」に囲ってきた一握りの「学生」たちも一人残らずいなくなってしまったのだ。

わがマル学同革マル派は、わが謀略粉砕・走狗一掃の闘いの断固たる推進によって、権力のスパイ集団ブクロ派を学生戦線から最後的に一掃しつくしたことを高らかに宣言する！

他方、スターリニスト学生運動もまた学生戦線から雲散霧消した。民青系のニセ「全学連」から、二〇一二年六月に〝最大拠点〟であった東京大学教養学部の学生自治会が脱退した。そしてニセ「全学連」そのものも、ついに活動を永遠に「休止」した（一六年〜）。スターリニスト学生運動も、その犯罪的な歴史の幕を閉じたのだ。

こんにちの学生戦線においては、ひとり全学連のみが、すべての学生自治会・文連をまもり、その組織的強化をかちとっている。コロナ・パンデミックのもとで、ただひとり革命的学生運動の大道をきりひらいている全学連の勇姿は、全国二九〇万学生の前に燦然と光り輝いているのだ。

国際反戦集会の大成功と今夏の闘争の爆発をかちとれ！

すべての全学連の学生諸君！「帝国主義とスターリン主義に抗してたたかう労働者階級と連帯し、革命的学生運動を推進せよ！」という基本路線に立脚するわが全学連運動こそが、政府・支配階級による貧困と戦争の強制、圧政のもとに呻吟する学生・青年の未来をきりひらく闘いの道を赤あかとさししめしている。革命的学生運動のよりいっそうの飛躍をめざして、全国の仲間は一致団結し、うって一丸となって前進しようではないか！

たたかう労働者と連帯し、菅日本型ネオ・ファシズム政権を打ち倒す闘いの全国的爆発をかちとれ！

そして政府・権力者による悪辣な棄民政策と圧政のもとに苦しむ全世界の青年・学生たちにたいして、われわれは、総反撃の闘いに決起することをよびかけようではないか！

すべての学生は、8・1第五十九回国際反戦集会の大成功をかちとれ！　今こそ菅日本型ネオ・ファシズム政権の打倒にむけて総進撃せよ！

（二〇二一年七月二十五日）

Kan'ichi Kuroda, *Marx Renaissance*). Today, we issue this call again to all Muslim people ..."

In this context friends, we hope that you will find this reading of the present and near future of some interest:

(The rest is omitted.)

ファリダバッド労働者新聞－共産主義革命　インドのファリダバッド市を中心とする首都圏工業地帯で労働者むけの新聞を発行している左翼グループ。

＊以下の団体・個人からのメッセージは次号に掲載します。──国際レーニン・トロツキー主義派（FLTI）／ボリビア国際主義労働者社会主義同盟／ラスエラス争議被告労働者と家族・友人の会　世界の政治犯解放とわが犠牲者のための正義をめざす国際ネットワーク／ロシア共産主義者党／ヴィクトル・ヒョードロヴィチ・イサイチコフ氏／ミハイル・ボリソヴィチ・コナショフ氏／ロシア共産主義労働者党（ボルシェビキ）・チュメニ州委員会

hope and militant commitment is that the present momentary clarity turns into a lasting awareness, on the part of the working class, of the true nature of our society and of its democratic illusions.

We wish you our internationalist communist greetings.

Prospettiva Marxista

マルクス主義展望　イタリアで『マルクス主義展望』という理論誌を発行している左翼グループ。

Faridabad Majdoor Samachar — Kamunist Kranti

Friends, in the "Overseas Appeal for the 59th International Antiwar Assembly in Japan" on page one are the words: "... the world is in world-historic turbulence ... state rulers ... stopped production ...". We fully agree with these words.

And, given this pregnant situation for radical social transformations, protagonists of hierarchic formations throughout the world are frenziedly fanning identity politics amongst desperate strata who are face to face with social death / social murder. Something like this is being drummed: "Buddhists of the world unite!"; "Christians of the world unite!"; "Hindus of the world unite!"; "Blacks of the world unite!"; "Whites of the world unite!"; "Women of the world unite"; "Asians unite!"; "Africans unite!"; "Europeans unite!"; ... ad nauseam.

In this scenario friends, we think that you should reconsider what you have written on page 3 of the Appeal:

"Since the July of 2002, when the war on Iraq by the militarist empire of America as the 'sole superpower' was impending, we have been appealing to the world: 'Muslims of all countries, organize struggles for the independence of a Palestinian state, based on Islamic internationalism!' ('Antiwar Struggle in the Present Topos', included in

Prospettiva Marxista

Dear comrades,

A year and a half after the start of the pandemic, the condition of our class in Europe keeps getting weaker. The millions of jobs lost have been compounded by increased precarization and worsening working conditions.

The virus is not responsible for this state of affairs; in many industries Covid-19 has been nothing more than a pretext for the bourgeoisie to continue its ongoing restructuring, to launch the final attack on an already weakened class.

In this context, all the political forces active in European parliaments and governments have fully manifested their class nature, without exception.

The so-called populist movements, which for years have claimed to be the voice of "the weak" against "the strong", have unabashedly supported every economic attack on the proletariat. The last months have demonstrated — if it were still necessary — that these political forces are only able to raise their voices against the weakest, such as the immigrant proletarians, while contritely bowing their heads before the interests of the bourgeoisie.

Nor is it possible not to see the ruthless class nature of the "traditional" parties, which for years — long before the pandemic — have been engaged in a direct attack on the European proletariat. The calmer tones, the more academic reasoning, the more respectable appearance of these hounds of the bourgeoisie have been enough for them to be considered, even in some left-wing circles, as "the lesser evil" compared to populism. As if a lesser evil, a less merciless attitude were possible in the front of the bourgeoisie; as if those calmer tones did not disguise the remorseless logic of capitalist exploitation against our class.

The tragedy of the pandemic has at least the merit of having thrown, like a storm, flashes of merciless light on the real class nature of the politics and institutions of bourgeois democracy. After the storm, bourgeois politicians may be able to better disguise their servitude to capital, even behind a mask of benevolence towards the workers. Our

The climate crisis is often invoked as a potential cause of war. Let us be clear: the ominous potential for war is fueled by *the way capitalism is responding* to the climate crisis as well as to capitalism's stagnation. The most serious climate adaptation project underway in the U.S., for many years now, is protecting military bases from storms and sea-level rise and preparing for military intervention in climate-fueled conflicts and against climate migrants. The climate migrants are not the enemy of the working class and freedom movements. The bigger threat is from xenophobic nationalists who use climate and other migrants as scapegoats to drum up militarism, nationalism, and fascism. The biggest threat is from the world's ruling classes, who turn to these reactionary forces because they are haunted by the revolutionary potential and stirrings of revolt at home. We must oppose these forces not only by supporting the labor and liberation movements, not only by fighting the fascists and militarists, but by fighting their poisonous ideology. The absolute opposite of that ideology is not another ideology but Reason, the fusion of philosophy of revolution with the liberatory thought emanating from the movements from practice.

Comrades, let us struggle together to establish revolutionary solidarity in both thought and activity, to oppose and prevent war, to promote proletarian internationalism, to abolish capitalism, racism, sexism, militarism, and imperialism, and to open a revolutionary path to a new, free, human society!

For freedom,
Franklin Dmitryev, National Organizer, for
The Resident Editorial Board of News and Letters Committees, July 27, 2021

「ニューズ・アンド・レターズ」委員会　アメリカの左翼グループ。トロツキーの秘書だったラーヤ・ドナエフスカヤ女史によって創設され、「マルクス主義的ヒューマニズム」の旗を掲げている。

sembly and unite our voices and forces in struggle.

In internationalist solidarity,
OKDE (Organization of Communists Internationalists, Greece)
28.7.2021

ギリシャ国際主義共産主義者組織（ＯＫＤＥ） トロツキズムの流れをくむギリシャの左翼組織。

News and Letters Committees

We extend our solidarity to your assembly, and your calls for proletarian internationalism and antiwar struggle based on that.

The pandemic we are still suffering is not an anomaly but an expression of the damage capitalism has brought and is still causing. As we pointed out in our Call to Convention for October this year:

"Far more frequent pandemics are one expected result of the climate and ecological crisis. The world response to COVID-19 presents a grave warning about how future pandemics will be mishandled, and how the climate and ecological crisis itself will be handled, as long as the capitalist system is in the driver's seat. We will not take the space here to elaborate on the systematic lies and coverups, the false solutions that do little more than line a few pockets, the extraordinary steps taken to protect the wealthy and powerful (note shocking vaccine inequality between and within nations), the largesse showered upon capitalists and their businesses to cushion them from the economic shock while millions of workers are thrown out of work or forced to work in dangerous conditions. (Much of this was detailed a year ago in last year's Draft Perspectives Thesis and other articles in *News & Letters.*) Let us only point out that all of these things are already happening in response to the climate crisis."

The resistance and struggles, social explosions and revolts around the world (US movement, L. America, Africa, Arab world etc.) show there are large forces of the oppressed to count on, a big hope for the reconstruction-recomposition of the workers' movement, for the future. But also reveal the severe crisis of the workers' and revolutionary movement itself, the lack of a trained vanguard, of rooted revolutionary Marxist parties, of a steady and determined leadership — especially after the collapse (and its effects) of traditional reformist currents controlling the workers' movement (Social democracy, Stalinism), but also after the crisis of large parts of the international far and revolutionary left. Helping to fill in this gap is our main duty all around the world.

Our country, Greece, is (traditionally) chained within the block of "our western allies", i.e. US imperialism. The new government of ND (Mitsotakis), in its 2 years in office, has proven itself the worst and most dangerous for the working class in almost 50 years, with its handling of both the pandemic and economic crisis and having passed a huge deal of reactionary measures. It could do so only because the previous government of SYRIZA paved the way, during its administration that helped ridicule any alternative and the search of it, creating a huge problem in the movement, in the consciousness and practices of the workers', the poor and the youth. The Mitsotakis government flames up the antagonism with Turkish capitalism in the region of South East Mediterrenean, which has become one of the crossroads of the clashing interests of many different and strong powers (from USA to Russia, and from France and Germany to Israel, Iran, China at the backyard — and others). The Greek bourgeoise is opportunistically counting on the support of US and western imperialists and wanting to be the main "proxy" of their plans (in the Middle East and North Africa, against Russia, for energy resources etc.). Achieving this goal means crashing the workers' movement in our country. We denounce this antagonism as reactionary from both sides, of both Greek and Turkish capitalists. We call for common action and struggles in the two countries, to develop an antiimperialist and antiwar movement, in defense of social rights and civil liberties, against nationalism and military spending. In the perspective of a revolutionary way-out and of a socialist coordination and cooperation of the people in all the area.

Comrades, our course is common. We fraternally salute your As-

The pandemic has triggered and sharpened the capitalist crisis, of which a new shock (after 2008) was already underway during 2019 and exploded in 2020. It has revealed how rotten and disastrous the capitalist system and its social and political elites has become, especially after decades of neoliberal rule.

The working class, the poor popular strata and the youth are paying a heavy toll in their social and political rights, their living conditions. The capitalists have launched a series of brutal attacks to make us pay for the crisis. They use “emergency situation”, the successive lockdowns and restrictrive measures as a mean not to defend public health, but to break the resistance of the working class, to make leaps forward to building state repression and antidemocratic regimes. And as the pandemic itself proved yet again, the capitalist crisis is rapidly culminating in an agony for the future of human mankind, with the destructions amassed by climate change and environmental crisis, all caused by the logic and system of profit.

The new Biden administration promoted phony hopes of restoring some balance in the system, both domestically in the US and internationally, after Tramp’s one revealed and accentuated the dire crisis already there at all levels. Bourgeois forces and reformists around the world hail to Biden’s plans — or try to pretend there’s in them something the masses can hope for ... However, it’s becoming more and more clear that Biden has no smooth way out — and that there is no such thing anyway! The attempt of US imperialism to defend its place and role is faced with more and more obstacles, difficulties, failures. As recently shown (G7 summit etc.), US imperialism can’t afford many concessions to its allies, real or claimed ones. Biden (in some, maybe, milder terminology) is actually keeping on the central element of Tramp’s policy: US imperialism must be the main, if not the sole, beneficiary among the “willing ones” that will align in the new anti-China and anti-Russia crusade. China, on its part, is dealing with its own problems, internal and international ones. The US-China clash (in which a series of other countries and forces take positions) is the central issue shaping the world. It’s a factor worsening the crisis of imperialist leadership and hegemony — and the drive to arms race, the threat of the explosion and expansion of new wars. Only the struggle of workers’ movement, building class independence and revolutionary internationalism, can stop these destructive forces.

xxxx

Rise up in antiwar struggle to break through the crisis of war breaking out amid the US-China cold war!

The Executive Committee for
the 59th International Antiwar Assembly
-*Zengakuren* [All-Japan Federation of Students' Self-Governing Associations]
-Antiwar Youth Committee
-Japan Revolutionary Communist League (Revolutionary Marxist Faction) [JRCL (RMF)]

We call on all workers, students and intellectuals who are striving across the world to oppose the war policies of governments, the tyrannies of state rulers and their imposition of poverty.

Today, a year and months after the outbreak of the Covid-19 pandemic, the world is in world-historic turbulence. When hit by the pandemic, state rulers and capitalists cut off the 'free movement of people, goods, money and services' and stopped production. With new virus variants, such as an Indian strain, appearing one after another, borders are continually closed while cities are locked down in many regions of the world. Capitalists have been mercilessly throwing workers onto the streets to seek their own survival. The 'pandemic depression', far more devastating than the Great Depression in 1929, laid bare a classical class division and poverty like those in the 19th century, when Karl Marx lived and fought.

This is not all. Amid the pandemic, a cataclysmic change has occurred in the structure of today's world. That is, the 'US-China cold war' has intensified at a stroke. Because of the global-scale clash be-

tween the US and China-Russia, the danger of war is impending in East Asia, the Middle East and elsewhere. Once ignited, the fire of war would be a prelude to a Third World War.

Workers and people all over the world! Now is the time to unite and create a revolutionary antiwar struggle to break through the intensifying crisis of war amid the US-China cold war. Let us rise up resolutely to defeat our governments and state rulers who are placing us under unbearable poverty and tyrannical rule!

In the middle of the historic turbulence, we are holding the 59th International Antiwar Assemblies on August 1st in Tokyo and six other cities in Japan. We call on all workers and people to create antiwar struggles internationally together with us, revolutionary Left in Japan. Let us embark on a fight to overturn this dark 21st century and carve out a brilliant proletarian century!

An intensifying clash between the US-Japan and China with focus on Taiwan

A year and four months have passed since the world was hit by the pandemic of the novel coronavirus that spread from Wuhan, China. What is uncovered by the pandemic is an all-out clash between the militarist empire of America, which has revealed its historic downfall, and neo-Stalinist China. In the face of imperialist America devastated by the world's most explosive spread of infection as well as an economic catastrophe, China has embarked on a full-scale offensive to seize 'hegemony over the world'.

Look at the G7 Summit meeting held in Cornwall, Britain (from June 11th to 13th). As head of the decrepit militarist empire, US President Joe Biden desperately tried to recover from America's ever-deepening isolation, which had been accelerated by the former Trump administration with its arrogant cry of 'America First'. He was hell-bent on involving German Chancellor Angela Merkel, French President Emmanuel Macron and others in the global formation of an anti-China encircling net under the slogan 'Rebuilding alliances'. That is why he was frantic to raise the worn-out, bloodstained flag of 'freedom, democracy and human rights' by his feeble hands. A 'new Atlantic Charter', which he issued together with UK Prime Minister Boris Johnson, was nothing but a miserable bid to implore those rulers

of European states including Germany and France to remember the debt they owe to America for 'freeing' Europe from Nazi Germany, and thereby to gain cooperation from them in implementing his hard-line policies against China.

And there was no one in the G7 summit other than Yoshihide Suga, head of the Japanese neo-fascist government, who acted as a minion of Biden and moved about proposing a phrase to be inserted in the G7 statement: 'peace and stability across the Taiwan Strait'.

It's no exaggeration to say that the true 'protagonist' in the summit meeting was Xi Jinping-led China. Ridiculing the Biden-centred meeting as a 'Last Supper', Xi even said, 'A small group of countries, their united front is doomed to be destroyed'.

Xi's China is, however, visited by troubles both at home and abroad. With an increasing number of enterprises that have gone bankrupt or have accumulated enormous debts, its domestic economy is in a critical situation. Many cities have turned into ghost towns with incomplete high-rise buildings left deserted. Even the 'One Belt One Road' initiative for a China-led economic sphere, which was aimed to get through the ever deepening crisis in the domestic economy, is hitting snags because of the irritation of the rulers of advanced countries at Chinese rulers' much too blatant oppression of people at home, and also because of the bitter resentments of state rulers in Southeast Asia and Central / Eastern Europe at China's behaviour of 'trapping other countries in debt'. Amid the economic debacle, anger is boiling up among workers, particularly peasant workers, who are plunged into dire poverty due to sackings and wage cuts by enterprise managers who are Communist Party members at the same time.

That was why Xi Jinping posed himself as a second Mao Zedong at the ceremony marking the 'centenary of the Communist Party of China'. By screaming that 'without the Communist Party of China, there would be no new China and no rejuvenation of the Chinese nation', he repeatedly appealed to the people to 'thank' the CPC.

In the face of US imperialism, which is building up political, military and economic 'pressures' on China, Xi asserted that the Chinese government would carry on with the 'wolf worrier diplomacy' by saying that imperialists 'will find themselves on a collision course with the great wall of steel forged by over 1.4 billion Chinese people.' As to the Taiwan issue, which the CPC defines as a 'core interest', he de-

clared that, in 'realizing China's complete reunification', 'we must take resolute action to utterly defeat any attempt towards "Taiwan independence"'. In this way he did not even conceal the intention of resorting to arms for annexation.

Concerning Hong Kong, Xi boasted that the government of the Beijing bureaucracy established an autocratic rule whereby to choke 'democrats' and oppress people under its direct rule in the name of 'implementing the legal systems and enforcement mechanisms ... to safeguard national security'. As to Uighur people, who once rose in an anti-government rebellion, the Beijing government has been enforcing brutal repression by throwing a million people into concentration camps. All this is a preparation for a forthcoming decisive battle with imperialist America. The Xi Jinping regime is intent on removing 'internal troubles' for that.

This government of the Beijing bureaucracy has in effect territorialized the South China Sea and now, on this basis, is intensifying its offensive in the East China Sea to seize the Senkaku (Diaoyu) Islands by defining them as part of Taiwan. Moreover, it is not only constantly deploying its naval and air forces around Taiwan but also developing them beyond the Taiwan Strait, over to the western Pacific. It has also deployed two thousand intermediate-range missiles ready to launch to prohibit US carrier strike groups from entering the Strait in the event of 'emergency in Taiwan'.

Faced with these hard-line measures taken by China, the Biden-led administration of US imperialism is now anxious and worried that 'China could invade Taiwan in next six years', thus strengthening its support to the Tsai Ing-wen government by providing it with top-of-the-line weapons and other military aids. Furthermore, it is commanding its warships to pass through the Taiwan Strait and carrying out extensive US-Japan military exercises on and around Japan's Southwest Islands according to its war plans in preparation for 'Taiwan emergency'.

Thus the Taiwan Strait, as well as the South China Sea, is in a hair-trigger situation, where US-Japanese forces and Chinese forces are both carrying out military manoeuvres against each other.

Xi-led China has set itself a 'national goal' of building a 'great contemporary socialist state' by the so-called 'second centenary' in 2049, which marks the centenary of the People's Republic, and makes

it their world strategy for the Chinese state to reign the world as 'Zhonghua' (centre of the world). In order to achieve the national goal and the strategy for world domination, the neo-Stalinist state of China has started making a dash.

And now, Russia led by Vladimir Putin is strengthening its anti-US alliance with Xi-led China, thereby mounting a challenge to US imperialism. As a nuclear power that holds large quantities of nuclear weapons comparable to the US, Putin-led Russia holds the national strategy of 'reviving itself as a great power'. In order to realize it, the Russian government has embarked on a rollback in opposition to US and European imperialist states, which have expanded so-called 'democratization' not only to former East European countries but also over to former constituent republics of the USSR, including Ukraine. Against a British naval cruiser that sailed near the Crimean coast, this government conducted a threatening military action in the name of 'warning shots' by mobilizing Russian warplanes and warships. This was but the starting gun of Putin's rollback. He is tightening the FSB-based authoritarian ruling system at home, while protecting Belarus President Lukashenko, who detained a dissident journalist by means of a government-conducted hijacking.

Faced with these political and military offensives by China and Russia, the Biden administration is frantic to build up a global encircling net against China by mobilizing US-allied states under the banner of 'rebuilding alliances' to win a 'strategic competition with China which will define the 21st century'. In the name of a 'global partnership for a new era' (declared in the US-Japan summit meeting in April), this administration has determined the US-Japan military alliance as the pivot of a global alliance against China and is pushing forward its schemes to fully mobilize the political, military and economic powers of Japanese imperialism for building up a global alliance. Look! Together with US forces, Japanese forces are carrying out joint manoeuvres constantly with Australian forces in the South China and Indian Seas, and now with French forces!

Evidently, around Taiwan and in the South China Sea, an imminent crisis is growing; a fire of war may break out any moment. In preparation for a hot war arising from the US-China cold war, US and Japanese rulers, as well as Chinese and Russian rulers, are competitively building up their military capabilities not only in land, naval

and aerial domains but also in outer and cyber spaces.

Workers and people all over the world! Now is the time to resolutely create a revolutionary antiwar struggle to break through the danger of war increasing amid the head-on clash between the US-Japan and China-Russia.

The Middle East: the danger of a military clash mounting between Israel and Iran

The Zionist regime of Israel (the former Netanyahu-led government) conducted devastating bombardments against the Gaza Strip of Palestine, known as 'an open-air prison', thereby sinking a great many people including children in seas of blood. The new government with an anti-Palestinian, anti-Iranian jingoist, Naftali Bennett, as its head also conducted aerial bombings of Gaza shortly after his inauguration. On the other hand, in the Shiite Islamic state of Iran, which confronts Israel as its archenemy in political and military terms, a new administration is also to start off with an 'anti-American, anti-Zionist' hardliner, Cleric Ebrahim Raisi, as its President.

The moment of a military clash between Israel and Iran is growing closer. Not only does US imperialism support Israel, but the Sunnite monarchies of Saudi Arabia and others, which confront Iran, are also moving to improve relations with Israel. On the other hand, China and Russia are fully backing the anti-American state of Iran in political, economic and military terms. Because of this structure newly emerging in the Middle East, a fifth Middle East War, which will be triggered by an Israeli military attack on Iran, will no doubt lead directly to global warfare.

Since the July of 2002, when the war on Iraq by the militarist empire of America as the 'sole superpower' was impending, we have been appealing to the world: 'Muslims of all countries, organize struggles for the independence of a Palestinian state, based on Islamic inter-nationalism!' ('Antiwar Struggle in the Present Topos', included in Kan'ichi Kuroda, *Marx Renaissance*). Today, we issue this call again to all Muslim people, particularly to Palestinians who are shedding their blood in battles against the brutalities of the Zionist regime backed by US imperialism. Workers and people all over the world! Let us stir up flames of antiwar struggle to denounce the Israeli

bombing of Gaza and to oppose its military attack on Iran!

Topple the state rulers who are imposing poverty and tyranny on us amid the pandemic!

Rulers of the US, Japan, China and Russia, who are ever more intensifying their military and political rivalries, have met with a serious predicament where the 'global economy' is torn apart with the borderless movements of 'people, goods, money and services' cut off by the pandemic. Amid this situation, they are heating up economic struggles against each other, by formulating not only strategies for 'military security' but also those for 'economic security' that are closely related to the former. These include schemes to control artificial intelligence and other digital technologies and 5G-communication and other advanced technologies, and those to secure the supply of semiconductors and scarce resources such as rare earth.

The so-called economic 'win-win' relationships under their political and military confrontations are becoming obsolete. This is another thing that is becoming an impetus to turn the US-China cold war into a hot war.

And what is occurring in the inside of each of these countries that are bitterly vying in every respect is this: 'the rich' are accumulating more and more wealth, whereas 'the poor' are being daily driven to the verge of death by starvation. In the capitalist countries (of the US and Japan), a classical class division between the capitalist and working classes, along with a classical impoverishment, is becoming more and more intense. In the country of 'market socialism', i.e. in China, the opposition between the privileged bureaucrats who hold enormous wealth and the workers and peasants who are suffering from dire poverty is growing more bitterly than ever.

This does not apply only to the US, Japan or China. In every country in the world, the toiling masses are rising up in revolt, burning with anger against the government and rulers who are coercing them into impoverishment. It is in order to crush the revolt of the masses that rulers and each government are, on the whole, tending to make their political ruling systems more reactionary and authoritarian by taking advantage of 'countermeasures against the pandemic'.

Workers and people all over the world! Let us build up struggles

to topple the rulers and governments that impose poverty and tyranny upon us!

Denounce the Japanese government for pushing forward to hold the Olympics! Down with the Suga government rushing to revise the Constitution and strengthen the US-Japan military alliance!

The Suga-led Japanese government is clinging to the hosting of the Tokyo Olympic Games despite the fact that a fifth wave of infection is starting to spread in the Tokyo metropolitan area. Suga is sticking to it only to keep his cabinet in existence. He takes no account of the terrible suffering of the toiling masses. Nor does he care a bit about hard-pressed medical workers who have been pushed to the brink of 'healthcare collapse'. This government is intending to hold the 'festival' which will cause an explosive spread of Covid-19 not only in Japan but throughout the world. People in Japan are directing their anger to this government. We are organizing vehement protests across the country under the banner 'Denounce the Suga government for enforcing the Olympics!'

While taking massive bailout measures for monopoly capitalists, the Suga government has cut off even small amount of measures for poverty-stricken people in the name of 'self-help', thus mercilessly leaving them in the lurch. This government is strengthening its neo-fascist political ruling system by keeping the nation under surveillance and repression in the name of 'degitalization'. We, militant students of Zengekuren and workers of the Antiwar Youth Committee, are fighting across the country to topple this Japanese-type neo-fascist government.

The leadership of the Japanese Communist Party (headed by Tetsuzo Fuwa and Kazuo Shii) has totally abandoned its 'opposition' to the US-Japan military alliance; it is even making a criminal assertion repeatedly that the party positively accepts 'Japan-US joint operations' in time of 'an emergency', according to Article 5 of the US-Japan Security Treaty. We, militant workers and students, definitely denounce this outrageous crime of the Stalinist party and are building up antiwar struggles. Militant workers are creating waves of struggle against the revision of the Constitution from within the depths of the

labour front, while denouncing the labour aristocrats of the Rengo [JTUC], who are unpardonably crying for 'stronger defence strength', thus even supporting the Suga government's scheme to revise Article 9 of the Constitution.

We are fighting to achieve a mass uplifting of the struggle to smash the attempt to revise the Constitution of Japan, particularly to nullify its Article 9, which stipulates the 'denial of the right of belligerency of the state' and 'non-possession of war potential'. We are also fighting to promote antiwar, anti-Ampo [US-Japan military alliance] struggles against the offensives of strengthening the US-Japan military alliance, including the new US base construction in Henoko, Okinawa. Japan is the only nuclear-bombed country; Hiroshima and Nagasaki were atom-bombed by US imperialism. Japanese workers and students will never allow the US and Japanese rulers to build up their military alliance into a nuclear military alliance. We are promoting antiwar struggles under the banner 'Smash the US-Japan nuclear security alliance!'

When the Japanese state decided on participation in the war on Iraq launched by the militarist empire of America as the 'sole superpower' by sending the Japanese military called Self-Defence Forces, Comrade Kan'ichi Kuroda got to the point: 'An independent state that forms a military alliance, Japan is bound to be at the same time a 'vassal state' of America. The Koizumi-led government's will to participate in the war bespeaks this.' (Kan'ichi Kuroda, *Bush's War*, p. 40). Rulers of Japan, the 'vassal state of America' that is chained to the US-Japan military alliance, have no other way to survive but to share the fate of their 'lord'. Precisely because of this, the Suga government is deepening its political and military subordination to US imperialism, which is trying, somehow, to build up a global alliance for war against China despite its decline that cannot be concealed. This, however, is the way to war and authoritarian political rule. This is why we are resolutely creating fights with the aim of 'repealing the US-Japan Security Treaty' to burst the 'chains of the security alliance'.

Three decades after the collapse of the USSR — Proletarians all over the world, rise up in fight to overturn the dark century!

As we have revealed it earlier, the present world in the 21st

century is unveiling its horrific nature as a dark century amid the Covid-19 pandemic: the critical confrontation between the US and China-Russia which may spark off a hot war any moment, the drastic deepening of class divisions with momentous impoverishment in every country, the prevalence of ‘present-day Hitlers’ strengthening their authoritarian rule, global warming and other instances of environmental destruction progressing with terrifying speed, and so on and on.

The darkness of the present world as such is precisely the actual reality of our times, three decades after the collapse of the Stalinist USSR.

We the revolutionary Left call on the working class and people all over the world. Today’s capitalism is approaching to the final end. Capitalism is writhing in death agony. Yet, while crying for ‘post-corona’ society, the bourgeoisie in each country are still sacking the lifeblood of workers in a bid to prolong their lives. What can give a finishing blow to the bourgeoisie is nothing but the struggle of the working class that is based on its class unity. With the power of the working class, defeat the bourgeoisie and their government! Overthrow the neo-Stalinist power of China!

The extinction of the Stalinist USSR was brought about by Mikhail Gorbachev, the anti-revolutionary scum. The revolutionary Russia was ultimately buried away. This ‘reversal of the century’ must be ‘reversed again’ with our own hands. Let us fight with all our might to change the 21st century into the ‘century of proletarian revolution’! For this change, we call on workers and people all over the world to squarely confront bloodstained Stalinism here and now! Awake to its anti-Marxist nature and thereby arise in anti-Stalinist struggle!

Workers, students and people! Rise in a fight right now! The rallying cry for this fight must be ‘Marx renaissance’. And the strategy for this must be ‘anti-imperialism, anti-Stalinism’.

Workers and toiling masses all over the world! Stir up antiwar demonstrations so massive and powerful as to shake the earth! Deliver a crashing blow to all state rulers who impose poverty and tyranny on us! Let us rise up together to revive the proletarian class struggle worldwide, to create the unity of the working class beyond borders!

(July 5th, 2021)

Messages from Foreign Friends to the 59th International Antiwar Assembly

July 2nd, 2021, Papeete, Tahiti

Revolutionary Marxists in Britain

We, Revolutionary Marxists in Britain, express our solidarity with the 59th International Anti-War Assembly.

While the withdrawal of US and British troops from Afghanistan represents a defeat for US and British imperialism, imperialism is creating chaos and misery throughout the world.

The floods in Europe and oppressive temperatures, leading to devastating fires, in the USA and Canada have shown that climate change produced by capitalist production affect the richest countries of the world as well as the poorest. Capitalist profit-driven production cannot address the issues of climate change.

Meanwhile, in Britain and elsewhere, governments seek to maintain the rule of capital by taking increasingly oppressive measures

against the working class. The Police, Crime, Sentencing and Courts Bill that the British Government is pushing through Parliament increases police powers to stop demonstrations, and to impose arbitrary restrictions such as limiting the noise level of a demonstration and to impose the start and finish time. It also allows the government to introduce new laws without going through parliament to prevent demonstrations causing "serious disruption". The government claims the bill is mainly to curb the "disruptive" actions of environmentalist protesters such as Extinction Rebellion, who embarrass the government by drawing attention to the destruction caused by capitalist production. The Bill also gives the police powers against striking workers.

The British Government is also preparing more repressive measures against asylum seekers, including imprisonment for those who arrive in Britain "illegally" in small boats, and for those who help them. The United Nations Refugee Agency (UNHCR) has said that these proposals are contrary to international law, and will "create a discriminatory two-tier system violating the 1951 Refugee Convention". These refugees are often fleeing countries where British imperialism has contributed to the oppression and violence that has forced them to flee.

Meanwhile, Labour Party leader Keir Starmer is concentrating on plans to expel 1,000 left-wingers from the Labour Party, instead of leading opposition to the Conservative Government.

The working class need a revolutionary leadership. We fully agree with your call: "Let us rise up together to revive the proletarian class struggle worldwide, to create the unity of the working class beyond borders".

22 July 2021

イギリス・レボリューショナリー・マルクシスツ　イギリスの左翼グループ。日本の反スターリン主義運動に学びつつたたかっている。イギリス階級闘争の現状について、わが『解放』に寄稿している。

Tavini Huiraatira no te Ao Maohi

Dear comrades and friends, ia ora na! 親愛なる同志と友人の皆さん、**ia ora na!**

First of all, warmest greetings from Ma'ohi Nui to Japanese People and to our friends from Zengakuren.

This year Ma'ohi Nui has commemorated 2 major dates in our Pacific Ocean's History.

July 2nd, marked the 55th commemoration of the first aerial nuclear bomb launched in our sky. We still remember your delegation walking with us 5 years ago and this year, as always, you walked with us in spirit.

Another demonstration took place on July 17th to mark the 47th commemoration of the aerial nuclear bomb named "Centaure" which radioactive radiations impacted Tahiti and other islands. Up to 110,000 persons were exposed to radiations even though French Army and French State maintained the fact that their "nuclear tests" were clean and harmless.

But all those cancers and diseases our people have died since the beginning of the nuclear era started in 1966 is a cruel fact our families are facing in pain and silence.

Up to 900 new cancers cases are diagnosed every year and 300 of our friends or families are coming back from France in their coffins.

Today, more than ever, it is vital for all of us to be in unity in protecting our common heritage which is the Pacific Ocean.

We reconnected with other organizations throughout our Ocean to amplify our common message and speak as a single voice to stop imperialism, capitalism and the nuclear lobby.

The collateral damages from the COVID-19 pandemic are now creating panic and artificial food shortages or unusual delays in global exchanges to maintain people's stress but it is important to keep fighting for sovereignty in all aspects and to stop imperialism from our shores. We are on the edge of another Cold War as described in the "Overseas Appeal for the 59th International Antiwar Assembly".

The 5 millions square kilometers of Ocean of colonized Ma'ohi Nui gives right to France to exist in the Pacific and to deploy its mili-

tary power in our region in order to amplify their imperialism with the US Pacific Air Forces (Wakea operation) and with the "Indo-Pacific" strategy making all South Pacific small island states submissive.

While we are writing our letter, President Macron will visit French Occupied Polynesia from July 24th to 28th. His minister of the Overseas visited us in May and we were the theater of the French military demonstration of 4 Rafale war aircrafts. All of this happened while our sick people still have to pay for their treatments and to face the cancers in silence. French government said "there is no State Lies". Imperialism is unfortunately playing with words and fooling us.

We, as People living in the biggest ocean of the world, named "Pacific" by the European navigators, should unify our voices and fight against imperialist and capitalist interests: fisheries, natural resources, ... for them. We want to live in a weapon free and nuke free world. Non belligerent countries or peaceful people struggling for a free world could only appeal to a better solidarity to fight against war and impoverishment.

It is important to remind the world that the Pacific Ocean has been the testing area of nuclear weapon for imperialist countries. The uses of nuclear weapons to intentionally kill human being unfortunately occurred in Japan. It is sad to see that the big powers could not understand and do not care the harm they are doing on the population with such weapon. Even in areas where nuclear tests have been carried out, consequences for the people and for the testing ground are serious like the case of Ma'ohi Nui.

Ma'ohi Nui underwent 193 French nuclear tests (46 aerial and 147 underground) leaving our country with the following results:

- people lost their land since Moruroa and Fangataufa are owned by France and are now nuclear waste sites, result of underground tests that have fractured the islands which will eventually collapse and produce a regional tsunami
- A lot of people died of cancer with more every year
- Our future generation will suffer transgenerational trauma

Because France is responsible for placing innocent lives in jeopardy, the pro-independence party Tavini Huiraatira and the society Moruroa e Tatou sued France for crime against humanity at the Human Rights Commission of the UNO and at the International Court of Justice.

In retaliation, the French justice took Mr. Oscar Temaru, president of the Tavini Huiraatira, and some members of the party to court. The objective of France is to eliminate the Tavini Huiraatira party and all its connections. Indeed, Radio Tefana, the only voice of the Maohi Nui people, has also been taken to court by the French justice. French government objectives: NO FREE TALK FOR MAOHI NUI.

The French justice already fined Mr. Oscar Temaru, Mr. Vito Maamaatuaiahutapu, Mr. Heinui Lecaill and Radio Tefana but this decision will be reconsidered by the courts of appeal next October. We hope then that you will join us in sending messages of solidarity as French State want to shut down the Voice of Freedom in our country.

We express great solidarity with the 59th International Antiwar Assemblies. Our solidarity with the Japanese people is guided by our common goal to reach a nuclear free World and to remind humanity about the devastating power of the nuclear bomb.

With Solidarity!

Guillaume Colombani, Heinui Le Caill &
Keitapu Maamaatuaiahutapu
Board Members of Radio Tefana and
members of the Tavini Huiraatira

タビニ・フイラアティラ・ノ・テ・アオ・マオイ　フランス帝国主義からのポリネシア独立をめざしてたたかっている団体。名称は「マオイ国人民の奉仕者」という意味。

LALIT

Comrade,

LALIT in Mauritius sends our revolutionary greetings for the 59th Antiwar Assembly taking place on 1st August 2021.

The appeal document circulated by the executive committee for the Antiwar Assembly rightly exposes the constant tug of war between imperialist powers fighting for the self-interest of their corporations even as the Covid-19 pandemic still spreads and causes suffering all over the world.

We live in times when humanity itself is threatened by both its annihilating capacity for war and its equally annihilating capacity to ruin the planet by pollution and by encroachment on the space left for other species, which in turns increases the danger from new viruses like the present one causing the Covid-19 pandemic. Capitalism, instead of providing solutions to war and to the pillage of our natural environment, stokes them. So, we need our struggles towards the overthrow of this cruel class system.

In these times, we have, unusually, been getting almost daily news about Japan. In particular, we get news of the rising Covid infections in Tokyo as the coming Olympic Games due to be held in Japan, approach. A small Mauritian delegation will be present. There are also the ongoing Court hearings about the wreck of the Japanese ship, the Wakashio, in 2020. The plight of the ordinary sea-men on the ship, inter alia, became evident during the on-going hearings.

In Mauritius, too, though the people warded off the first wave quite well by means of an understanding of public health measures, we are now facing a second wave of Covid-19 infections before even reaching 50% of adults vaccinated, and at the same time facing a deepening of the existing, grave economic crisis. Capitalist enterprises are desperately looking for support from the Government, which is using massive public funds to bail them out. This reminds us, in stark terms, of what the State can do to get its hands on "funds"; when working people demand something, the Government says "there is no money". However, in the end, as is inevitably the case until revolutionary mobilization, it is workers and poor people who are made to carry the

burden of the crises of capitalism, including this one. Jobs lost are increasing, what with enterprises going bankrupt; the Mauritian Rupee is depreciated to favour capitalist enterprises in the exportation sector. This depreciation of the Rupee has considerably increased the price of basic commodities, which are largely imported, and make up a big proportion of the budget of workers and poor people, who are disproportionately harmed by the measure. Jobs are not being created in sectors that will ensure food sovereignty and health protection for the people; instead, the Government is recruiting massively in the repressive forces to add more policemen to prepare to impose repression during this crisis.

Land resources in Mauritius are being ruined by real estate businesses for profit, and the sea's resources are being illegally exploited by foreign fishing vessels. For us in LALIT, resources such as the land and sea should be sustained, while being used to ensure food production in a way that respects this sustainability, thus creating both sustainable jobs, and ensuring food sovereignty, while ensuring housing for everyone in the working class.

Our struggle to close down the US military base Diego Garcia, part of the Chagos Archipelago, which is part of the Republic of Mauritius, has moved a step or two ahead this year. First in January, the International Tribunal on the Law of the Sea made a binding judgment that Chagos, including Diego Garcia is indeed no longer British, therefore illegally leased by Britain to the USA for its base. Second the Mauritian government announced in its Budget that it will organise a trip to Chagos led by the Prime Minister; this was amongst demands which LALIT has campaigned on since 1998. So, with the UN General Assembly resolution condemning the UK's illegal occupation of Chagos, this planned visit, if ever taken seriously by the Government will further add to pressure for UK to end its illegal occupation of Chagos, and for US imperialists to close down their military base there. The UK and US are also to be held responsible for cleaning up the pollution done to the ecosystem in the Chagos Archipelago's sea and land, to make it a safe place for Chagossians and people in Mauritius to live in and visit.

Our mutual struggles against wars, against poverty and oppression, are reinforced through building international solidarity around networks of organisations working towards revolutionary changes for a

more equal society.

LALIT admires your strong conviction and sends our wishes for a safe and successful 59th Antiwar Assembly, which is taking place in this difficult time of dual economic and health crises.

Long live the international workers' struggle!
Long live the struggle for socialism!

Rada Kistnasamy
For LALIT

ＬＡＬＩＴ　インド洋の島国モーリシャスの左翼組織。LALIT（ラリット）は、現地語で「闘争」という意味。日本の米軍基地反対闘争に強い関心と共感を寄せている。

Union Pacifiste de France

Dear Friends,
The Union Pacifiste de France wish you fruitful antiwar assemblies.
We did protest against the French participation to the military manoeuvres with USA and Japan.
We also, as each year, did protest against NATO summit.

with all our solidarity,
Maurice Montet,
Secretary Union Pacifiste de France

フランス・ユニオン・パシフィスト　フランスの反戦・平和団体。

National Alliance of People's Movements

Dear comrades,

We thank you for reaching out to NAPM and the struggling people in India, amidst the global pandemic and the political-economic-climate crisis.

We appreciate your extensive geo-political analysis of the world situation, which is indeed deeply disturbing.

Your passionate call to the working class to challenge poverty and state tyranny, across countries and continents, in order to also prevent another military aggression and war is a concern all of us share.

We broadly concur with your diagnosis of the political context and share your deep apprehensions regarding the possibility of a Third World War, which must be prevented by all means, by peace loving and working people everywhere.

We also share your opposition to holding the Olympics in Japan, while the Corona virus is still proliferating in waves.

We support your opposition to nuclear weapons and welcome the UN decision to declare the owning of nuclear weapons as illegal, though we still have to find ways for 'enforcement' of such a resolution in a politically unequal world.

We have to not only oppose nuclear arms, but nuclear energy in general which is touted as a 'clean' source of fuel.

We appeal to you to prevent the Japanese government from releasing the Fukushima plant's wastewater into the sea, as this will endanger many lives in your own country and elsewhere and will also ruin the fishing communities in the region.

We further appeal to you to impress upon your Government and its financial agencies to stop funding mega infrastructure projects in India that have severe and irreversible implications on our environment, livelihoods and rights of the toiling people.

As you would know the working classes, students, farmers, indigenous people and other oppressed sections in India as well have been constantly resisting the fascist regime and its support to other authoritarian and totalitarian regimes. Your solidarity to our struggles would be valuable.

We wish you every success in your endeavour to organise the working class to create a socialist and equitable society with full human rights and disarmament. No more war!

All good wishes to your 59th International Anti-War Assembly!
In struggle and solidarity,

Arundhati Dhuru, Basant Hetamsaria, Gabriele Dietrich, Krishnakant Chauhan, Meera Sanghamitra, Pradip Chhaterjee, Sandeep Pandey, Sanjay MG and Suhas Kolhekar
For
National Alliance of People's Movements (India)

民衆運動全国連盟　インドで原発・環境問題や身分的・宗教的差別の問題にとりくんでいる全国的連合組織。

The All Pakistan Federation of United Trade Unions

Dear Comrade,

The All Pakistan Federation of United Trade Unions (APFUTU) expresses solidarity on the occasion of the International Antiwar Assemblies in Japan, and at this time of year we always remember to commemorate the 6th and 9th August 1945 bombings of Hiroshima and Nagasaki, and the need for solidarity amongst workers and people against war and impoverishment — we support your Assemblies. APFUTU expresses our solidarity with your struggle in Japan against the manoeuvres of what you accurately describe as warmongering rulers represented by US imperialists and their allies to impose their rule on the world.

In Solidarity

Zia Syed
Secretary General

全パキスタン統一労働組合連合　パキスタンの労組連合。「戦争と帝国主義的侵略・抑圧に反対する」ことを、方針のひとつとしている。

Lotta comunista

July 25, 2021, Italy

Comrades,

We answer your call for the 59th International Anti-war Assembly in Japan with our internationalist solidarity! The world order of the bourgeoisie has entered a crisis and decades of war and revolution await the world proletariat.

The crisis of the balance between the world powers is caused by the irruption of the new Chinese imperialist power into the partition of the world market. The old powers respond with a new cycle of interventionism and state capitalism, not only in the form of massive Keynesian stimuli in response to the pandemic, but also through "green" and "digital" investments, justified by the new fashion for the climate, which serve to disguise the gigantic "industrial policies" of energy and technological restructuring. In strategic sectors such as the automobile, telecommunications and energy sectors, which make up a substantial share of the major powers' production, this "green" interventionism is also of great military importance, with repercussions in future struggles for the acquisition of raw materials and spheres of influence in the global financial and monetary competition.

The temperature of the planet cannot change the substance of world imperialism. Only world communism will be able to restore, in

the long term, an organic relationship between humanity and nature. Until then, many pages of Lenin's "Imperialism", which in truth has never aged, will still be very topical.

«The capitalists divide the world, not out of any particular malice, but because the degree of concentration which has been reached forces them to adopt this method in order to obtain profits. And they divide it "in proportion to capital", "in proportion to strength", because there cannot be any other method of division under commodity production and capitalism. But strength varies with the degree of economic and political development. In order to understand what is taking place, it is necessary to know what questions are settled by the changes in strength. The question as to whether these changes are "purely" economic or non-economic (e.g., military) is a secondary one, which cannot in the least affect fundamental views on the latest epoch of capitalism. To substitute the question of the form of the struggle and agreements (today warlike, tomorrow peaceful, the next day warlike again) for the question of the substance of the struggle and agreements between capitalist associations is to sink to the role of a sophist».

Lenin writes: «for the forms of the struggle may and do constantly change in accordance with varying, relatively specific and temporary causes, but the substance of the struggle, its class content, positively cannot change while classes exist».

War and peace will return to alternate and combine in the new world division.

A cycle of rearmament has begun, with which the major powers are responding to the shift of about a tenth of world war spending in the last twenty years in favour of Chinese imperialism, and to its military modernization program that sets the pace for the Asian (that is, the world's) rise of tensions in the next fifteen years: the third aircraft carrier this year, the fourth in 2025 and so on, towards 2035, in a crescendo of war, naval, ballistic and nuclear devices, for all seasons of deterrence and the politics of robbery in third markets, both against and together with the old powers.

But where can the crisis of the imperialist order lead if not to the verification of the new balance of forces in a series of wars? The prospect of the next decades lies between a chain of regional wars and a general breakdown of the balance in a Third World War. In any case,

the tasks of the proletariat, both for you in Asia and for us in old Europe, are enormous. This also means that your Assembly will be increasingly relevant to us with each passing year.

It is very unlikely that a regional war involving the major Asian powers could remain isolated. Only concrete analysis will be able to predict with precision what sides the American, European, Russian, Chinese or Japanese imperialists will take in these conflicts in the coming years of unprecedented imperialist tensions, whether they are triggered in the Middle East contention, in Central Asia or in the stormy Asian waters fraught with missiles. The revolutionary movement must specialize in the "mysteries of international politics", as Marx said, as a necessity for its own revolutionary strategy, in response to the rupture of the imperialist order due to the global intertwining of its economic, political and military crises.

As revolutionaries, comrades, we know that these crises provide the revolutionary party with sufficient quantity and quality of international contradictions to operate and strengthen itself in the phase of revolutionary preparation, even in the most disadvantageous and counter-revolutionary conditions. But today the contradictions of world imperialism are reaching unprecedented levels, due to the emergence of imperialist powers of continental size and the unprecedented extension of the world proletariat and the struggle between modern classes in all countries of the world. So, we must make the most of the contradictions of the ruling classes.

The factions and groups of the bourgeoisie in all powers are divided by different interests and strategic orientations, and try to use the proletariat in their struggles. The workers' movement must be able to face all the ideologies of the ruling classes. Also Europe is reacting to the Chinese rise by accelerating its political and fiscal integration, separately from American pressure, and is cultivating its strategic autonomy through a balancing policy between the United States and China, on the one hand trying to rebalance the Euro-Atlantic relationship to its advantage and, on the other hand, holding the United States in a position of long-term ambivalence towards Beijing, simultaneously defined as a "partner", "rival" and "competitor" by both the US and the EU.

Moreover, in the United States, although the new Chinese challenge is recognized by the bipartisan consensus, the "party of confrontation" with China still coexists with that of "engagement" and "coexistence", even within the Biden administration itself, whose strategic line is not yet defined in its entirety.

But if these two "parties" coexist in the major imperialist powers, that of the clash and that of negotiation with Beijing, while discussing how to coexist with China in the interest of a new imperialist world order that crushes the world proletariat even more, they are preparing for general rearmament, and military plans are being drawn up from the South China Sea to the East, from the Persian Gulf to the Western Pacific where the US is no longer sure of its own deterrence, while the military-industrial lobbies of all the powers advance their requests for spending in a deadly cycle of false alarms and real worries. Imperialism is war.

If today the imperialists can place their missiles in every part of the globe it is also because almost a century of Stalinist, fascist and social democratic counterrevolution have prevented an internationalist consciousness in the world proletariat. Social-imperialism struggles every day so that the proletariat forgets its tasks and is lost in the "mysteries of international politics".

The rearmament cycle that has just begun does not spare the ideological arsenals. The ideology of a democratic, social and "green"-sustainable capitalism threatened by the technological and nationalist authoritarianism of the Chinese Dragon, spreads in the old powers; while in China the proletariat is ensnared by the Chinese dream of a "moderately prosperous society" and by the redemption of Chinese power from a "century of humiliation". Obviously, at the moment, every power presents itself as peaceful. Pacifism is also a bourgeois ideology. You comrades who fight against Japanese imperialism are well aware of this!

The workers' movement paid heavily for the destruction of the Third International by Stalinism, and unfortunately still suffers a great delay in the establishment of internationalist consciousness among the masses of the proletariat, on all continents. We see it in the Middle East, where an expanding young proletariat continues to be used as "meat for slaughter" by all the most abject currents of a corrupt to the

marrow and oil-soaked bourgeoisie of every religious denomination. This is why the internationalists support the unity of the Arab proletariat and the Israeli proletariat against the Arab bourgeoisie and the Israeli bourgeoisie. This is why today we are for the unity of all proletarians against all states.

And this is why together we are building the unity of the world proletariat against all wars and against the peace of all imperialist powers!

Comrades,

we redouble our efforts to root internationalism among the deep strata of the proletariat and accelerate the construction of the revolutionary vanguard party because, if not in the next years or next decade, be it in the next twenty years or beyond, the question is nonetheless placed between two social classes opposed by irreconcilable interests: the 21st century must be the century of revolution!

In the 21st century we go back to Marx!

Lotta comunista

ロッタ・コムニスタ　イタリアの左翼組織。「レーニン主義への回帰」を掲げ、イタリア共産党の堕落に抗して1960年代以来たたかってきた。党名は「共産主義者の闘い」の意。

The Secretariat of the Fourth International

Dear friends,

The secretariat of the Fourth International greets the Organizing Executive Committee of the 59th International Anti-War Assembly on Sunday August 1 in Tokyo and in six other cities: Sapporo, Kanazawa, Nagoya, Osaka, Fukuoka and Okinawa.

Since its appearance in early 2020, the Covid 19 pandemic has

been shamelessly used by the capitalists and the governments at their service to amplify the attacks against the working class to make it pay for the irremediable crisis of the capitalist system, while multiplying the "states emergency" in order to restrict democratic freedoms in the name of "health precautions", while continuing to reduce the number of hospital beds, for example.

"255 million full-time jobs lost in 2020 worldwide"

On the one hand, according to a report by the International Labor Organization (ILO): "In 2020, 8.8 percent of working hours globally were lost compared to the fourth quarter of 2019, which is equivalent to 255 million full-time jobs. Losses in hours worked were particularly significant in Latin America and the Caribbean, Southern Europe and Southern Asia. The lost working hours for 2020 were about four times greater than during the global financial crisis of 2009." (ILO Observatory: "COVID-19 and the world of work", 25.01.2021)

And on the other side,

"According to Hurun's report, coronavirus has spawned billionaires fastest in healthcare and retail ..." (China.org.cn.business, 03.03.2021)

Quantitatively we can read in this article that:

"The number of billionaires worldwide has increased by 412, bringing the total to a record 3,228, according to the latest Hurun Global Rich List ranking. China registered 259 new billionaires, becoming the first country in the world to surpass 1,000 "known" billionaires in dollars, with 1,058, more than the combined total of the next three countries in the ranking of the United States, India and Germany. Despite the disruption caused by COVID-19, this year has seen the biggest increase in wealth in the past decade," noted Rupert Hoogewerf, president and chief researcher of the Hurun Ranking. A stock market boom and a wave of new IPOs have created eight new dollar billionaires per week over the past year. The wealth of Tesla founder Elon Musk reached $ 197 billion, making Mr. Musk the world's richest man for the first time. Jeff Bezos, Amazon founder who was the richest man last year, came in second with $ 189 billion, followed by Bernard Arnault, CEO of LVMH ($ 114 billion), and Bill Gates ($ 110 billion).

In the past five years, China has seen 490 new billionaires appear, compared to 160 in the United States. Zhong Shanshan, founder of

67-year-old Chinese bottled water giant Nongfu Spring, became the first Chinese to enter Hurun's top 10 with a personal fortune of $ 85 billion, ranking seventh in the world and first in China. The wealth of Tencent CEO Pony Ma Huateng increased by $ 30 billion to $ 74 billion, keeping him second in China, followed by e-commerce platform CEO Pinduoduo Huang Zheng (69 billion dollars) and Alibaba founder Jack Ma ($ 55 billion). Beijing is the billionaire capital of the world, with 145 billionaires living there. Shanghai overtook New York for second place, with 113 billionaires. Six of the top ten cities with the most billionaires are in China.

"According to Hurun's report, the coronavirus has spawned billionaires the fastest in healthcare and retail, adding that electric vehicles, e-commerce, blockchain and biotechnology have become the industries to the fastest growing last year." (China.org.cn.business, 03.03.2021)

France is not to be outdone.

"109 billionaires in France in 2021. Fortunes were boosted by the rebound in financial markets and the economy was boosted by the arrival of vaccination. "Economic players who are in promising sectors, that is to say everything that is digitization of the economy, retail trade and everything that has very high added value (technology, ecological transition) benefit from this very strong recovery and therefore the actors who are in these sectors will get richer," explains Anne-Sophie Alsif, chief economist at the Bureau of Economic Information and Preventive Services (BIPE). In 2020, France had 95 billionaires, they are 109 in 2021. ..." (France Info, 07.08.2021)

"The biggest increase in the military load since the global financial and economic crisis of 2009."

Arms sales and wars continued around the world.

According to the Stockholm International Peace Research Institute (SIPRI, Yearbook 2021):

"Global military spending is estimated at US $ 1981 billion in 2020. Total spending was 2.6% higher than in 2019 and 9.3% higher than in 2011. The global military burden — military spending as a percentage of global gross domestic product (GDP) — increased by 0.2 percentage point in 2020, to 2.4%. This is the largest increase in the military burden since the global financial and economic crisis of 2009. Military spending has increased in at least four of the five re-

gions of the world: 5.1% in Africa, 4.0% in Europe, 3.9% in the Americas and 2.5% in Asia and Oceania. For the sixth year in a row, SIPRI cannot provide an estimate of total spending in the Middle East".

And of course that means wars.

Still according to the SIPRI document already cited:

"Active armed conflicts occurred in at least 39 states in 2020 (5 more than in 2019): 2 in the Americas, 7 in Asia and Oceania, 3 in Europe, 7 in the Middle East and in South Africa. North (MENA) and 20 in the sub-region. Saharan Africa. ... Only two armed conflicts took place between states: the ongoing border clashes between India and Pakistan, and the border conflict between Armenia and Azerbaijan for the control of Nagorno-Karabakh, which degenerated into a conflict of high intensity ..."

Regarding the Asia-Pacific region,

the US / CHINA tariff war launched by the administration. Trump was translated into the so-called "phase 1" trade deal signed in Washington on January 15, 2020. And the Biden administration, while denouncing it, has so far left it in place.

And if Janet Yellen, Secretary of State for the Treasury of the United States said in an interview with the New York Times (NWT, July 16): "The trade deal with China has 'hurt American consumers'", at the same time, NWT recalled, "Despite recent animosity, the United States was able to help China join the 'global tax deal' that Ms. Yellen helped negotiate. The Biden administration believes that China wants to be part of the multilateral system and that severing ties between the two countries completely would not be healthy for the global economy."

In reality, imperialism and all the governments at its service, but also the Chinese bureaucracy, fear above all new popular uprisings following those that have arisen since 2018-2019: Chile, Colombia, Algeria, Yellow Vests, Hong Kong, Myanmar ... .

However, the resumption of US military pressure in the South China Sea has nothing to do with "humanitarian" demands linked to the tragic fate of the Uyghurs and the crackdown on pro-democracy activists in Hong Kong, as the US imperialism remains, for example, Saudi Arabia's staunchest ally.

And the USA-Japan Treaty, the presence of 50,000 American

soldiers on the Archipei as well as the refusal to listen to the population of Okinawa who refuses the construction of a new American military base in Okinawa constitute elements to be taken into account against any risk of war.

Receive dear comrades our best regards in the fight against war and exploitation

The secretariat of the 4th International
July 24, 2021

第四インターナショナル書記局　第四インター創設メンバーの一人である故ピエール・ランベールが率いてきた国際組織。本部はフランス。日米合同軍事演習へのフランス軍の参加にかんして、わが全学連委員長へのインタビューを彼らの機関紙に掲載した。

Le Comité de Liaison des Jeunes pour la Révolution

Camarades,

C'est avec beaucoup d'intérêt que nous avons lu l'interview du porte-parole de la Zengakuren dans le journal *Informations ouvrières*. Les manoeuvres conjointes de l'impérialisme français et américain au Japon montre une nouvelle fois que même à l'agonie ce système continue à porter la guerre partout où il le peut pour survivre.

L'impérialisme français est présent aussi au Sahel, notamment au Mali, où plus de 5000 soldats protègent les intérêts de la bourgeoisie française en Afrique sous couvert de lutte contre le terrorisme. Mais c'est en France où le plus de soldats français sont déployés, ils sont 10 000 dans le cadre de l'opération Sentinelle, là encore sous couvert de lutte contre le terrorisme !

En tant qu'organisation de jeunesse nous tenons à vous faire par du combat que nous menons en France contre la destruction de l'université et des diplômes en généralisant les cours en distanciel sous couvert de la lutte contre le covid. Cela aboutit à la démoralisation de milliers d'étudiants, expulsé de fait de l'université et à la précarisation grandissante de la jeunesse. Que l'on soit au Japon ou en France, nos droits d'étudiants, de lycéens, de jeunes sont constamment attaqués.

Nous sommes solidaires de votre manifestation prévu le 1er août contre les manoeuvres militaires conjointes Américano-franco-nippone. Nous vous apportons tout notre soutient ! Les troupes de l'impérialisme français n'ont rien à faire au Japon, ni en Afrique !

Vive l'internationalisme ouvrier !
Maudite soit la guerre !

Fraternellement

Le Comité de Liaison des Jeunes pour la Révolution.

革命をめざす青年連絡委員会　第四インター書記局のイニシアティブの下に組織されている学生・青年労働者組織。

Organising Committee for the Reconstitution of the Fourth International (OCRFI)

Dear comrades,

Our warmest internationalist greetings to all those who are taking part in the Anti-war Assembly.

It is a need for the international class struggle that what took place in Japan in August 1945 be remembered and that, in itself, would justify the meaning of the commemoration you are organising.

The most advanced results of science, the knowledge acquired by humankind were used to kill human beings by hundreds of thousands,

in one stroke. Imperialism — and specifically at that time American imperialism — used those means to unleash unprecedented destruction not only with the aim to achieve its victory in the second world war but also to prepare further deadly blows against mankind and civilisation in the context of the preparations of a potential war against the USSR.

To that aim, thousands and thousands of lives were sacrificed, towns reduced to rubble.

The living memory of those tragic events is of course present in the current struggles of the Japanese working class and youth against the attempts to link Japan even more closely to the course followed today by American imperialism.

What is taking place now in Japan is part of international developments, of the international class struggle. The Anti-war Assembly takes place at a turning point in the development of class struggles worldwide.

The last years have been marked by tremendous movements of the working people all over the world. They are also marked by the deepening of the world crisis of the whole imperialist system, by the devastating consequences of the spreading of the pandemic because of the way it is handled by the capitalist system and its various governments. It is being used by capitalism and its governments in the onslaught it has launched everywhere against the working people of the world, against the rights of the workers, their gains, their jobs and their lives.

In that context, American imperialism, as the keystone of the capitalist system of exploitation, is ready to resort to any means in order to preserve the capitalist system, organically linked to its world domination.

What has happened through the American presidential election illustrates that fact. The new president, Joe Biden, is not only walking in the footsteps of his predecessor, Donald Trump, but he is taking further the achievement of his plans. His recent tour in Europe, the meetings of the G7, of NATO and of the European Union have been the occasion for American imperialism to reassert its leadership of all the capitalist and reactionary forces and especially of strengthening around it the coalition to weaken and isolate by all means any force which would still act independently of it. That aim is to be achieved by all possible means including war: today's American defence budget

has reached the unprecedented height of 747 billions of dollars.

Those moves which carried a threat of a world war are combined with the offensive launched by the exploiters and their governments against the working class all over the world.

But, all over the world, the exploited and oppressed are fighting back. Among the latest expressions of that struggle, one can note the huge mobilisations in Colombia, in Brazil against Bolsonaro, the struggles of the workers in Europe against the attempts to use the consequences of the pandemic to accelerate mass unemployment and the eradication of labour laws. That is also true in the case of India where, in spite of the terrible results of the spreading of the pandemic, the workers and the peasants are resisting the attempts of the Modi government to destroy all the brakes still limiting exploitation.

More than ever, the struggle of the Palestinian people, the movement which associated all the layers of the oppressed Palestinian people, within the boundaries of the Israeli state, in the West Bank territories and in Gaza, shows that imperialism, in spite of the murderous means it can use, has to face the fightback of the workers and of the people.

But that also holds true of the United States itself. One should never forget that the "Black Live Matter" movement brought out in the streets of American towns more than twenty millions of demonstrators.

It was the hugest mass movement ever experienced in the United States even larger than the movement against the Viet-Nam war.

The movement of the working class is an international one. The struggle of the Chinese workers, in the whole of China as in Hong Kong, for the right to organise, for their demands, is part of that struggle.

When American imperialism, through the statements yesterday of Trump and Pompeo, today of Biden and Blinken, threatens China, it is the Chinese working class they are threatening to destroy. There can be no effective struggle against imperialism, against the threat of war without the independent organisation of the Chinese working class.

The struggle against war is linked to the struggle against capitalist exploitation.

The main obstacle faced today by the working class and the youth at a world level is the fact that within the labour movement itself, leading forces used their abilities not to unite the movement of the working class and of all the oppressed forces against its enemies, but on the contrary, aim at subordinating the movement of the working class and the oppressed to the preservation of the world capitalist order.

Today, to fight against the destructive plans of all the capitalist governments, to fight against the threat of wars, what is required is the break from all forms of subordination to the world imperialist order, the political independence of the labour movement expressed in the struggle for the proletarian revolution, the destruction of an order based on exploitation and wars.

The organising committee for the reconstitution of the Fourth International

第四インターナショナル再建組織委員会（OCRFI）ランベール派系第四インター組織から分裂した組織。

Workers Revolutionary Party (EEK)

Dear Comrades of the 59th International Anti-War Assembly
Dear Comrades of Zengakuren, of the Anti-war Youth Committee and of the Japan Revolutionary Communist League (Revolutionary Marxist Faction)

The EEK (Workers Revolutionary Party) of Greece sends you its warmest internationalist communist greetings and wishes success to your Assembly, a vital anti-war action in these crucial times when the life itself of the entire humanity is in danger by imperialism!

Such internationalist actions by revolutionaries in Japan are the best tribute to the memory of the innocent victims in Hiroshima and Nagasaki exterminated by the nuclear holocaust launched by US imperialism. At the same time, your Assembly is a call to all revolutionaries of the international working class to mobilize against imperialist barbarism to put an end to the decayed capitalist system threatening life itself on this planet to extinction.

The world is shaken by an unprecedented "perfect storm", an insoluble global capitalist crisis, raging from 2008 escalating in 2020 by a catastrophic pandemic. Both, the global capitalist crisis and the Covid 19 pandemic have the same source: they are the result of the capitalist globalization of the last forty years leading to the global finance meltdown in 2008 and a new Great Depression while the destruction of the environment by the corporations greed for profit produced, from 1980s on-wards an "epidemic of epidemics" up to the current pandemic that already has killed millions without its end being in sight.

The systematic destruction of the public health systems by Neoliberalism the last four decades, the role of the Big Pharma brigand during the current pandemic, the criminal management of the pandemic by all the capitalist governments, the lack of vaccination of the vast majority of the poorest, most vulnerable sections of the population, the cynical abandonment of the Global South, where two thirds of humanity lives to its fate, demonstrate that the globalized capitalist system in its historic decline is incompatible with the most direct and

urgent needs of the actual life process.

We are in a great inflection point of history. Capitalism faces an impasse. In its efforts to escape, it creates more gigantic inequalities between countries and within each country. There are everywhere, in an uneven and combined development, conditions of class war and of a generalized imperialist war.

The new popular rebellions in internationally, in the US with the Black Lives Mater mobilizing 25 millions in the streets in June 2020, in Latin America and the Middle East, from Chile, Colombia or Brazil to Tunisia and Occupied Palestine mark a new mass upsurge, greater than the wave of mass struggles at the beginning of the global crisis more than a decade ago.

The same crisis pushes the ruling classes to mobilize to help them far right and fascist forces, using, chauvinism, xenophobia against the migrants and racism, to attack the struggles of workers, youth and all oppressed.

Social confrontations at home are combined with militarism, jingoism and an internationally expanding imperialist war drive, the most dangerous now being the standoff between US-NATO imperialism with China and Russia.

Greece is not only devastated by the insoluble economic crisis and now under a very reactionary right wing government but also at the crossroads of all international contradictions and antagonisms: at the gates of the Middle East volcano, in the Balkans and the soft underbelly of Russia, in the trajectory of the Chinese Belt and Road Initiative in Europe, in the Easter Mediterranean where the ongoing-Cyprus crisis, the new discoveries of gas deposits and the competition between the Western energy giant companies drive the bourgeois regimes in Greece and Turkey into confrontation and possibly to a reactionary from both sides war.

The EEK's battle cry is: ***War against the war of the imperialists and of the bosses! The main enemy is at home! Kick out NATO and all US military bases! Down with the imperialist European Union! For workers power, and a Socialist Federation of the free peoples in the Balkans, in the region, in Europe, all over the world!***

We are and remain unrepentant, uncompromising fighters of ***proletarian internationalism***. We firmly believe and on this basis we act

that **the only road for world peace and in defense of life is the road of the world socialist revolution and the building of a revolutionary International for its victory!**

With warmest, fraternal, internationalist, revolutionary greetings

Savas Michael-Matsas, General Secretary,
on behalf of the Central Committee of the EEK of Greece

July 25, 2021

労働者革命党（ＥＥＫ） ギリシャの左翼組織。トロツキズムの流れをくんでいる。

New Left Current for the Communist Liberation (NAR)

Comrades,

We welcome the 59th International Antiwar Assembly, which once again becomes not only a benchmark for the antiwar, anti-imperialist movement and anticapitalist action in Japan, but also an event of internationalist solidarity and dialogue.

In our thoughts is the memory of the innocent victims of the atomic bomb dropped by the American imperialists on Hiroshima and Nagasaki 76 years ago, launching their campaign of terror for hegemony. The struggle for peace is still relevant today, in a world of intensifying imperialist rivalries at the planetary and regional level, an arms race at unimaginable cost to the peoples, “wars by proxy”, aggression by nationalism, fascism, religious fanaticism and all reactionary thinking that calls for a civil war of the poor and the workers. This dangerous development is built on the intensification of exploitation in modern totalitarian capitalism.

The pandemic of Covid-19 came as a result of the capitalist mode of development and its crisis. The invasion into wildlife, the miserable living conditions in the megacities, the neoliberal assault on public health systems and the unbridled speculation of the drug and health multinationals have made the pandemic the setting for a colossal attack by capital on the right to health and life, but also on work, democracy and freedom.

In Greece we are living the harsh anti-people's policy of the right-wing government of K. Mitsotakis and ND (New Democracy), together with the successive measures against the rights and freedoms of the working class, the youth and the people. A policy designed within the framework of the EU's choices to face the capitalist crisis of the bourgeoisie by throwing the burden on the people, yesterday with the memoranda, today with the so-called "Next Generation EU recovery package". The fact that it has the EU's stamp on its anti-people's policy gives it the strategic consensus of the dominant political system, of SYRIZA, of KINAL, representing social democracy, but also of the nationalist right. The anti-people's policy, starting from the bourgeoisie's pursuit to radically increase its profits and raise its prestige in the Balkans and the Eastern Mediterranean, has led to the choice of closer links with US and EU imperialism. It believes this will strengthen its position in the unfair, peace-dangerous competition with the Turkish bourgeoisie for the EEZs in the Aegean and Eastern Mediterranean. In this way, the EU is in danger of being forced to fight the aggression of the Ottoman Empire in the Mediterranean. All Greek governments in recent years have sought the role of the "good soldier" of the US in their aggressive plans in the Balkans, Eastern Europe and the Middle East, in the context of imperialist competition with Russia, China and their allies. This leads them to choices that are disastrous for peace and the rights of the people, such as the continuation and expansion of US-NATO military bases and the permanent presence of large military forces, expensive armaments in competition with Turkey, the axes of war with Cyprus, Israel, Egypt, close cooperation with the reactionary regimes that support the US in the region. At the same time, the Greek government is also closely cooperating with the Turkish government in the implementation of the racist EU-Turkey refugee agreement and in the persecution of Turkish and Kurdish political refugees. In these circumstances, as a result of imperialist

intervention, the antagonisms of the bourgeois classes and nationalism, there is a serious danger of the official acceptance of the division of Cyprus as sought with the Turkish invasion of Cyprus in 1974 and the continued occupation of 40% of the Republic of Cyprus.

In the face of this unpopular policy, the labour and youth movement have fought important battles for bread, health, work, education and freedom. NAR believes that the need of our times is:

- The class reconstruction of the workers and popular movement.
- The concentration of forces in an anti-capitalist political front with a corresponding program of struggle that will contribute to and lead the necessary mass political workers' and people's movement. With the objectives of resistance, shaking and overthrowing the government of the South-West and its policies and the capitalist attack as a whole. The clash with the politics of consensus, the bourgeois alternatives of the SYRIZA-KINAL type and the rationale of national unity "to overcome the crisis". ANTARSYA (Anticapitalist Left Cooperation for the Overthrow) is a contribution to this effort.
- The coiling of the people who are inspired by the need for a modern program and party of communist liberation.

The world of capital responds to the triple economic, health and environmental crisis with reactionary choices that only aim to keep the capitalists in power and wealth, despite their rivalries with each other. Humanity's perspective is defined as never before by Rosa Luxemburg's dilemma of "socialism or barbarism".

All over the planet the struggling forces of the working class and peoples are fighting hard to defend rights and freedoms against modern parliamentary totalitarianism and tyrannical dictatorships, against war, imperialism, fascism, racism, nationalism and religious fanaticism. The Black Lives Matter movement has shaken the whole world, struggles such as in Chile, Colombia, Indonesia, Myanmar, Lebanon, social conflicts in Europe, gain solidarity, inspire hope and give valuable experiences. The ceaseless and persistent struggle of the Palestinian people against the terrorist state of Israel is at the heart of every human being who seeks a more just world.

In this harsh and volatile time, it is of great importance that the forces of anti-imperialist and anti-capitalist struggle give vision and strategy to the class struggles. The crucial insight of the Declaration of the 59th International Antiwar Assembly on the need for a Marxist

renaissance is a prerequisite for communist recuperation. For the revolution, the socialist perspective and communist liberation to become once again a vision that warms the hearts of the working class and peoples, giving them strength and inspiration. A vision of communism that responds to the contemporary contradictions, exploitation and oppressions of our time, far from the defeatism and reformism of the nostalgia about 20th century state socialism and the renounce from the struggle for workers' power, in the name of either progressive management or changing the world with the domination of capital intact, without a rupture with imperialism.

With these thoughts we wish the 59th International Antiwar Assembly good luck in its work, good strength to the fighters and militants of anti-war and anti-imperialist action.

- Long live workers' internationalist solidarity.
- Bright hope in the world of capitalist barbarism is the common struggles of the working class and peoples, the struggle for peace against war, imperialism, nationalism, racism, fascism, religious fanaticism.
- Our future is not capitalism, it is revolution and communism.

New Left Current for the Communist Liberation
Member organization of ANTARSYA

共産主義的解放をめざす新左翼潮流（ＮＡＲ） ギリシャの左翼組織。ギリシャ共産党の議会主義に抗して結成された。

Organization of Communists Internationalists, Greece (OKDE)

Dear comrades,

We wish every success to the 59th Antiwar Assembly.

The working class and toiling masses all over the world are faced with a very difficult and harsh situation, which is becoming critical.

国際・国内の階級情勢と革命的左翼の闘いの記録（二〇二一年六月～七月）

国際情勢

6・2 **イスラエルで極右からアラブ政党まで含む野党が連立政権樹立で合意。国会が承認、首相に極右党ヤミナのベネットが就任、ネタニヤフ退陣**（13日）

6・3 米大統領バイデンが中国企業への株式投資禁止措置を通信や航空など59社にも拡大する大統領令

6・4 露大統領プーチンが「過激派組織」からの選挙出馬禁止の法案に署名。ナワリヌイ出馬阻止のため

6・6 ペルー大統領選決選投票。「急進左派」カスティジョが勝利宣言（15日）。勝利確定（7月19日）

6・7 中国とASEANの特別外相会議（重慶）で王毅がミャンマーへの「内政不干渉」を要求

▽プーチンが軍事施設の相互偵察を認める領空開放条約からの脱退法案に署名

6・10 **バイデンが訪英し首相ジョンソンと新「大西洋憲章」を発表**。第二次大戦での連合国の結束に倣う

▽中国全人代常務委員会で「反外国制裁法」を制定

6・11 **G7サミットが対面で開催**（～13日、英コーンウォール）。**中国に対抗するインフラ支援を合意。共同宣言で「台湾海峡の平和と安定」を明記**

6・14 **NATO首脳会議**（ブリュッセル）。**共同声明で中国を「体制上の挑戦」と規定**

6・16 **バイデンとプーチンがジュネーブで初会談**。米へのサイバー攻撃問題、「人権問題」で対立

6・17 香港警察が香港紙「リンゴ日報」幹部5人を逮捕。新聞は廃刊に。米英など各国が非難（24日）

国内情勢

6・1 経団連新会長に住友化学会長の十倉雅和

6・2 陸上自衛隊が沖縄・宮古島に弾薬・ミサイルを「物品」と称して強行搬入

6・3 自民党離党の前経済産業相・菅原一秀が議員辞職。公職選挙法違反で罰金（21日）

6・4 **後期高齢者の医療費窓口負担2倍化の医療制度改定関連法案が参院で可決・成立**

▽政府が日本では使用しないアストラゼネカ製コロナワクチン124万回分を台湾に提供

6・7 ソウル地裁が元徴用工らの日本企業への損害賠償請求の訴えを却下、18年の韓国最高裁判決とは異なる判決。日本政府は評価

6・9 日豪2＋2（オンライン）。「台湾海峡の平和と安定」、自衛隊による豪軍防護を確認

6・11 **国民投票法改定案を参院で強行採決**

▽首相・菅義偉がG7出席（～13日）。共同声明への「台湾」明記を成果とおしだす

6・15 野党の内閣不信任決議案を衆議院で否決

6・16 **基地・原発周辺、国境離島などの住民を監視する土地利用規制法案を参院で可決・成立**

6・17 政府が石炭火力発電の輸出支援終了決定

▽立憲民主党・枝野幸男が次期総選挙後の日共との連立政権は「考えていない」と表明

6・18 **21年度版「骨太の方針」を閣議決定。「経済安全保障」を初めて提唱、「グリーン**

革命的左翼の闘い

6・3 愛知大学学生自治会が豊橋校舎で定例学生大会をかちとる。「学費無償化！ 自治規制反対！」の大会決議、「敵基地先制攻撃体制づくり反対！ 憲法改悪反対！」の特別決議を採択。大会後学内を対当局デモ

6・6 神戸大生の会と奈良女子大学学生自治会が「老朽原発うごかすな！ 大集会inおおさか」（実行委員会主催、大阪市）に結集、１３００名の労働者・学生・市民の集会・デモを牽引

6・9 全学連が参議院議員会館前で国民投票法改定案の参院憲法審査会採決阻止！ 土地利用規制法の制定阻止！の闘争。「総がかり行動実行委員会」主催の国会前抗議集会に結集した労働者・市民の最先頭で奮闘

▽金沢大学共通教育学生自治会が金沢市香林坊で街頭情宣。国民投票法参院採決阻止・土地利用規制法制定反対・小松基地へのF35A配備反対などを訴える

6・10 琉球大学学生会と沖縄国際大学学生自治会が国民投票法改定・土地規制法制定に反対し自民党沖縄県連（那覇市）に抗議闘争。県庁前広場で情宣

6・18 **イラン大統領選。「反米・保守強硬派」のライシ師が当選**（19日）、投票率48・8％で過去最低

6・20 核合意への米復帰をめぐる英仏独中露EU仲介の米イラン間接協議をイランが一時休止と宣言。IAEAとの査察合意も24日で失効と宣言（27日）

6・21 ミャンマー軍最高司令官ミンアウンフラインが露で安全保障会議書記パトルシェフと関係強化確認

6・23 **ロシア国防省がクリミア付近の「領海」に侵入した英駆逐艦に爆弾投下と発表**。NATOとウクライナなどが黒海で軍事演習開始（28日）

▽ロシアが北方諸島・サハリン・日本海で1万人超の大規模演習（～27日）

6・27 米国防総省がシリアとイラクの親イラン武装勢力の軍事施設を空爆と発表

▽仏統一地方選決選投票で与党と極右が全地方で敗北

6・28 **中国国家主席・習近平とプーチンがオンライン協議、締結20年の中露善隣友好協力条約延長を合意**

7・1 **中国共産党が創立100年記念式典を天安門広場で開催。習近平が「台湾統一は歴史的任務」と演説**

▽米21会計年度の財政赤字が3兆ドル超の見通し

7・2 **アフガン駐留米軍が最大の空軍基地から撤収。米が「アフガン撤収は90％以上完了」と発表**（6日）

▽露系ハッカー集団が米IT企業と共和党全国委にサイバー攻撃。7000万ドル要求と報道（5日）

7・5 習近平が独メルケル、仏マクロンと電話協議。「欧州が戦略的自主性を保つことを希望」と述べる

7・7 ハイチ大統領モイーズが暗殺され戒厳令発令

▽南アフリカで前大統領ズマを収監、ズマ支持の貧困

とデジタル化」を強調

▽東京地裁が元法相・河井克行の大規模買収を認定し懲役3年の実刑判決

▽政府の感染症対策分科会会長・尾身茂らが東京五輪は「無観客が望ましい」と提言

▽日銀が金融政策決定会合で金融緩和策の維持、「脱炭素化」での金融支援を決定

▽日米合同実動演習「オリエント・シールド21」を各地で開始（～7月11日）。台湾有事を想定

6・21 日米韓の北朝鮮担当高官がソウルで協議。対話再開にむけ協力することを確認

▽日本・ASEANのエネルギー相オンライン会合、日本が「脱炭素化」に1兆円支援を表明

6・22 近畿財務局職員で自殺した赤木俊夫さんの森友学園にかんする文書改ざんの経緯を記したファイルを国が遺族側に提示

▽長崎県壱岐空港に米海軍ヘリが緊急着陸

6・23 ワクチン対策担当の河野太郎が職域接種・大規模接種の新規受付を停止と突如発表

▽老朽原発の関西電力美浜原発3号機が再稼働

▽原子力規制委員会が中国電力島根原発2号機の新規制基準による審査書案を了承

6・24 警察庁が22年にサイバー局を設置し直轄の捜査専門部隊を新設と発表

6・25 日本の総人口が1億2622万人、前回15年の調査につづいて2回連続で減少

▽国家公安委員長・小此木八郎が横浜市長選立候補のため辞任、議員も辞職

6・29 5月の完全失業率が3・0％に悪化

6・13、20 **全国各地で労学統一行動。米中冷戦下の日米対中攻守同盟強化反対、憲法改悪阻止、菅政権による人民への犠牲強制・五輪開催強行反対、菅内閣打倒をかかげて決起**

＜6・13＞ 首都において全学連と反戦青年委員会が「緊急事態宣言」「五輪警備」を口実とした警察権力の厳戒態勢を突き破り、アメリカ大使館、国会にむけて戦闘的デモを貫徹

・全学連関西共闘会議と反戦青年委が自民党大阪府連、「維新の会」の根城の大阪市役所にむけ市内をデモ

＜6・20＞ 全学連北海道地方共闘会議と反戦青年委が札幌市中心部をデモ。自民党道連に怒りのシュプレヒコール

・全学連東海地方共闘会議と名古屋地区反戦が名古屋市内を戦闘的にデモ。自民党愛知県連に弾劾の嵐

・沖縄県学連と県反戦労働者委員会が辺野古新基地建設阻止をもかかげ、那覇市街を自民党県連へ進撃

6・23 奈良女大自治会・神戸大生の会・金沢大共通教育自治会が美浜原発3号機再稼働阻止の「緊急全国集会」（「老朽原発うごかすな！実行委員会」主催）に決起。福井県美浜町現地で労働者・学生・市民350名の先頭で奮闘。関

層が反政府の抗議デモ。16日までに死者212人に
7・8 タリバン代表団が訪露し大統領特使と会談、「全土武力解放はしない」と「約束」
▽中国・上海で世界AI大会が開幕
7・9 バイデンがプーチンと電話協議。ロシアのサイバー攻撃にサイバー攻撃での報復を検討中と述べる
7・10 G20財務相・中央銀行総裁会議（9日〜）。法人税の国際的な最低税率を15%以上と合意
7・11 キューバで食料・電力不足に抗議し「自由」を求めるデモ。大統領ディアスカネルが「反革命」と非難、バイデンがデモ支持の声明（12日）
7・14 **上海協力機構（SCO）外相会合、アフガンをめぐり「武力行使の自制を求める」共同声明**
▽欧州委員会がガソリン車を35年から販売禁止と決定
7・15 米独首脳がホワイトハウスで会談し「ワシントン宣言」を発表。対中国政策での協調を確認
▽「中央・南アジア国際会議」がウズベキスタンで初会合（〜16日）、中露主導でアフガン支援策を協議
▽ドイツ西部で豪雨洪水。独・ベルギーで死者200人超
7・16 中国軍が台湾直近の福建省で陸海合同上陸演習
7・18 「OPECプラス」オンライン会議で協調減産幅の段階的縮小を合意。日量40万バレルずつ縮小
7・19 米政府が中国政府を「ハッカー集団を雇ってサイバー攻撃」と非難声明、対抗措置を示唆
▽バグダッド・サドルシティでシーア派を狙った自爆攻撃、35人死亡。IS（「イスラム国」）が実行声明
▽英政府が一日5万人以上のコロナ感染にもかかわらずイングランド全域で規制を全面解除
7・20 台湾がリトアニアと代表処設置を合意と発表

7・2 政府がオンラインで「太平洋・島サミット」、菅が「権威主義との競争」を呼びかける
▽防衛省が五輪警備に八五〇〇人派遣と決定
▽三菱電機が鉄道用装置の不正検査を35年以上つづけていたことを認め社長が辞任と発表
7・4 **東京都議選投開票。自民惨敗、公明党をあわせても過半数にとどかず**
7・5 財務相・麻生太郎が台湾有事なら「存立危機事態」と認定し日米で台湾防衛と発言
7・6 露海軍が日本海でのミサイル発射訓練を通告と政府が発表（9日に露が中止通告）
7・7 国家安全保障局局長に警察庁出身の北村滋にかわり前外務次官・秋葉剛男が就任
7・8 東京都に4度目の緊急事態宣言発令を決定。沖縄県は宣言を延長、大阪府と首都圏の3県は蔓延防止措置を延長（12日から実施）
▽経済再生相・西村康稔が緊急事態宣言下で休業しない飲食店に金融機関が圧力をかけるように要請。批判が噴出し9日に撤回
▽五輪を1都3県で無観客とすることを決定
7・9 防衛省が海上自衛隊護衛艦と英空母打撃群との共同訓練をアデン湾で実施すると発表
7・12 時事通信世論調査で菅内閣支持率が29・3%、政権発足後最低
7・13 政府が酒類販売事業者への酒提供飲食店との取り引き停止要請（8日）を撤回
▽政府が台湾、ベトナム、インドネシアにアストラゼネカ製ワクチン100万回分ずつを追加提供
▽21年版『防衛白書』を閣議了承。「台湾情勢

電原子力事業本部と美浜原発にむけて波状的にデモ。全体集会で金沢大生が反戦反安保・菅政権打倒を訴え共感が広がる
6・27 神戸大生の会と奈良女大自治会が饗庭野現地闘争に決起。滋賀県高島市での「先制攻撃の日米合同軍事演習反対！ 憲法改悪反対！」集会とデモ（「平和フォーラム関西ブロック」など主催）に結集。「オリエント・シールド21」市街地戦闘訓練で迫撃砲弾が演習場外に着弾した事故（6月23日）を弾劾、陸上自衛隊今津駐屯地にむけたデモを牽引
6・30 沖縄県反戦の労働者が「美謝川（みじゃがわ）の付け替え許すな！ 土地利用規制法案強行可決抗議集会」（「ヘリ基地反対協」と「島ぐるみ会議名護」が主催、名護市役所前）の最先頭で奮闘
7・1 全学連道共闘と反戦青年委が矢臼別現地闘争に決起。日米合同実動演習「オリエント・シールド21」の一環としておこなわれた日米合同実弾射撃演習に反撃
7・3 国学院大学文化団体連合会総会で大学当局によるサークル活動制限とサークルの「更新申請」制度導入反対を

▽中国河南省で「千年に一度」の豪雨洪水。300万人被災
7・21 米政府が独政府と独露間天然ガスパイプライン「ノルドストリーム2」建設容認で合意
▽習近平が総書記就任後初めてチベット自治区視察。「チベット解放70年」の共産党統治を誇示
7・22 G20環境相会合（ナポリ）で25項目の共同声明、海洋プラスチックごみ対策など
7・23 G20気候・エネルギー相会合（ナポリ）、気温上昇の目標値は合意できず。中印が米に反発
7・25 イスラエルが風船爆弾への報復と称しガザ空爆
7・26 **英空母クイーン・エリザベスがシンガポールに到着**。対抗し中国軍が南シナ海2海域で演習開始
▽バイデンが訪米中のイラク首相カディミと会談しイラクでの米軍の戦闘任務を年内終了と合意
▽米国務副長官シャーマンが訪中し王毅らと会談。台湾、香港、ウイグル、制裁解除問題などで対立
▽米国防長官オースティンがシンガポール、ベトナム、フィリピン歴訪（～30日）。比大統領ドゥテルテが会談後に米比地位協定の破棄通告を撤回（30日）
7・28 **王毅が訪中したタリバン幹部と会談しタリバンの政権掌握を認めると同時にウイグル独立をめざす組織の取り締まりを確認**
▽訪印中の米国務長官ブリンケンが外相、首相モディと会談し「クアッド連携強化」を合意
7・29 ブリンケンがクウェートで会見、イラン核合意への米の復帰をめぐる協議再開をイランに求める
▽イスラエル系企業のタンカーにドローン攻撃、2人死亡。イスラエルがイランを非難（30日）

の安定が重要」と初めて明記
7・14 米豪の共同軍事訓練「タリスマン・セイバー」に日本が英など8ヵ国とともに参加
▽中央最低賃金審議会が全国一律で時給を28円引き上げ全国平均930円とする目安を決定
7・15 九州防衛局長が宮崎県知事にF35B戦闘機の航空自衛隊新田原基地への配備を通達
7・19 韓国大統領・文在寅が首脳会談の成果が見込めないとして訪日を中止
7・20 **日英防衛相・国防相会談。対中連携を確認、英はインド太平洋地域に哨戒艦2隻常駐**
7・21 政府が中長期的なエネルギー基本計画原案を公表。30年度に脱炭素電源60%の目標
7・23 **コロナ感染急拡大下で東京五輪開催強行**
7・26 首相・菅が「黒い雨」訴訟の上告を断念
7・28 データ書き替えが発覚した敦賀原発2号機の審査中断を検討と原子力規制委が発表
7・29 陸自第1空挺団がグアムで在沖米軍特殊部隊と合同パラシュート訓練（～30日）
▽日米台の議員有志が「戦略対話」初会合、前首相・安倍晋三が参加
▽国内の新型コロナ感染者数が1日1万人超に
7・30 神奈川・埼玉・千葉・大阪に緊急事態宣言発令を決定（8月2日から実施）
▽文科相・萩生田光一が記述式問題および英語民間試験の大学入学共通試験への導入を断念
▽安倍の「桜を見る会前夜祭」公選法違反容疑での「不起訴不当」と東京第1検察審査会が議決

決議。総会後に対当局要請行動
7・15 沖縄県反戦が辺野古新基地埋め立て用土砂運搬船の名護市安和（あわ）桟橋からの出航阻止海上闘争に決起。つづいて辺野古ゲート前での土砂搬入阻止すわり込み闘争を現地のたたかう労働者・住民とともにかちとる
7・19 **全学連が全国結集で「東京五輪の開催強行弾劾！」「菅政権打倒！」の戦闘的デモ。首相官邸に怒りのシュプレヒコール**
▽全学連が第91回定期全国大会を開催。対中国グローバル同盟反対・改憲阻止・菅政権打倒へ闘争態勢をうち固める
7・28 金沢大共通教育学生自治会が石川県小松基地ゲート前闘争に決起。「F35A配備反対集会」（県平和運動センターなど主催）で労働者・住民の先頭で奮闘
7・31 全学連道共闘が札幌駅前で「菅政権の五輪強行弾劾」を訴え情宣

『新世紀』バックナンバー

No.314 2021年9月

米中冷戦下 反戦の闘いに起て

国際反戦集会海外へのアピール／ミャンマー人民弾圧弾劾／感染爆発・医療崩壊下での五輪開催反対／ワクチン加速／社会保障制度改悪／郵政三万五千人削減反対／テレワーク／日共の「未来社会」論／「脱炭素化」をめぐる経済争闘戦

No.313 2021年7月

パンデミック下の解雇・賃下げ攻撃

【労使協議への春闘の解消／「全労連」中央批判／ＮＴＴ／ＪＣＭ／電機／私鉄／出版／郵政／トヨタ新「職能給」／日鉄一万人削減】／対中攻守同盟強化／戦争勃発の危機を突き破れ／腐朽を極める世界経済／トリチウム海洋放出弾劾

No.312 2021年5月

人民見殺しの菅政権を打ち倒せ

反戦・反改憲・反ファシズムの闘いを／バイデンの没落帝国主義再建策／中共五中全会／2・14労働者集会基調報告／経団連の搾取強化戦略／「連合」二一春闘方針批判／3・11福島原発事故から10年／「政権交代」を夢想する日共官僚

No.311 2021年3月

革命の新時代を切り拓け

反戦反ファシズムの炎を／革共同第三次分裂の最終決着／革共同政治集会／日米の対中攻守同盟強化／21春闘の戦闘的高揚を／「連合」春闘方針の批判／人事院勧告弾劾／ドコモ子会社化／教育労働者に超長時間労働／郵政年末始繁忙

新 世 紀　第315号（隔月刊）

日本革命的共産主義者同盟 革命的マルクス主義派 機関誌©

発行日　2021年10月10日

発行所　解 放 社

〒162-0041　東京都新宿区早稲田鶴巻町525-3

電話 03-3207-1261　振替 00190-6-742836

URL http://www.jrcl.org/

発売元　有限会社 K K 書 房

〒162-0041　東京都新宿区早稲田鶴巻町525-5-101

電話 03-5292-1210　振替 00180-7-146431

URL http://www.kk-shobo.co.jp/

ＩＳＢＮ 978-4-89989-315-8　C0030